Paul Ardenne
Luc Boegly
Jean-Marie Monthiers
Franck Tallon

SilvanaEditoriale

ante prima

AAM
éditions

LO 804 218
LO 27205
LO 891877

Groupama

PEN-DUICK

CITÉ

PEN-DUIC

Paul Ardenne

Une architecture logicienne
/ A reasoned architecture

La Cité de la voile Éric Tabarly réalisée pour Cap l'Orient par l'architecte Jacques Ferrier fait sans conteste figure de tour de force. Pour cette raison déjà, s'agissant de cet espace d'exposition hors pair : l'alliance de la fonctionnalité la plus stricte et de l'élégance pure. Ici, pas de fioritures et autres effets faciles. Nulle souscription non plus à la tradition du bâtiment de bord de mer, fort en général de sa blancheur immaculée, de ses ouvrants en forme d'écoutilles et de sa plastique marine évoquant, jusqu'au cliché souvent, le vol de la mouette ou la proue des navires croisant à vue.

Le bâtiment conçu par Jacques Ferrier, tout au plus mais pour le mieux, se profile comme un exemple majeur d'« esthétique fonctionnelle », eût dit naguère Étienne Souriau[1]. La forme, en vertu de cette dernière, ne doit rien à l'invention, pas plus qu'à l'intuition, même géniale. Elle est, tout au contraire, relative, fonction de l'usage attendu du bâtiment, de son contexte, d'une intégration raisonnée des contraintes, des techniques et des matériaux disponibles. Surélévation gracile, agréable jeu de couleurs, adjonction judicieuse d'un campanile marin, relation harmonieuse au site, esthétique attractive enfin... En premier lieu, l'effet que dispense le bâtiment de la Cité de la voile Éric Tabarly, fort agréable à l'œil, est redevable de la fonctionnalité et de son double, la logique.

The Cité de la Voile Éric Tabarly designed for Cap l'Orient by the architect Jacques Ferrier is without any doubt an amazing achievement for the simple reason that this exceptional exhibition space successfully allies clear-cut functionality and pure elegance. It is a building that avoids any embellishments or other easy effects. The traditional approach to seaside buildings, generally known for their immaculate whiteness and hatchway-like openings, is shunned. There are none of the excessive marine references or forms that all too often become clichés, such as the flight of the seagull or sailing boats passing in the distance.

The building designed by Jacques Ferrier simply presents itself as an example of what Étienne Souriau[1] might have called a "functional aesthetic". Its form owes nothing to invention or even intuition, no matter how brilliant. On the contrary, it simply matches its expected use and context, intelligently integrating the physical constraints, technologies and available materials. It offers a graceful form, an agreeable interplay of colours, the judicious addition of a marine bell-tower, a harmonious relationship to the site and an attractive aesthetic. The first impression given by the eye-catching Cité de la Voile Éric Tabarly clearly owes its force to the building's functionality and inherent logic.

1-Étienne Souriau, *Vocabulaire d'esthétique*, Paris, P.U.F., 1990.

Contre toute attente, le bâtiment icône

/ Against all expectations, an iconic building

On ne présente plus Éric Tabarly, navigateur hors du commun, *skipper* des légendaires Pen Duick, une redoutable dynastie de voiliers ayant marqué de son empreinte l'histoire moderne de la voile de compétition. La Cité de la voile Éric Tabarly se dressant à présent face au Ter, à quelques encablures de la rade de Lorient, est un hommage rendu à cette saga triomphante. Un bâtiment, certes, qui cumule conformément au cahier des charges de cette réalisation les fonctions de point d'amarre (les Pen Duick y sont exposés à quai, entre deux utilisations), de conservatoire (ils y seront entretenus) et de musée (des expositions sur le monde de la voile sont programmées là, dès 2008, date d'ouverture du site au public). Mais un symbole, aussi bien. Le symbole, déjà, du lien indéfectible de Lorient avec la mer, comme l'indiquent la noria des navires partant pour Groix ou l'imposant voisinage de la base sous-marine de Keroman construite sous l'Occupation, jusqu'en 1997 propriété de la Marine nationale. Le symbole, encore, du dynamisme d'un regroupement de municipalités, Cap l'Orient (Communauté d'agglomération du pays de Lorient, dix-neuf communes pour près de 200 000 habitants), dont l'ambition est de requalifier et de revivifier la vie de ce bord d'Atlantique en y favorisant de concert l'économie de pointe (l'implantation d'une nouvelle ZAC hautes technologies est programmée), l'activité touristique, le rayonnement culturel.

La première qualité de la Cité de la voile Éric Tabarly est sa monumentalité discrète, sa qualité inattendue d'icône. Le bâtiment, incontestablement, est flatteur, beau même : force, puissance d'accroche visuelle. Rien pourtant de maximaliste ou de tonitruant pour cette construction d'environ soixante-dix mètres de côté plantée en bordure de Ter et flanquée, accessible par un passerelle, d'une tour métallique, la « Tour des vents ». Matériaux ordinaires (béton, verre, polycarbonate, panneaux d'aluminium peint, métal galvanisé), plan géométrique (un simple rectangle), hauteur mesurée (une vingtaine de mètres pour le bâtiment principal, une trentaine pour la « Tour des vents »), configuration simple (bâtiment en R + 1 avec rez-de-chaussée vitré en façade)..., la Cité de la voile échappe à l'ostentation et au gigantisme d'opérette. Comme enraciné sur le quai, le bâtiment principal s'en détache à peine : sa façade principale, vitrée en rez-de-chaussée sur son entière longueur, joue comme un facteur d'allègement visuel à l'impact mesuré. Son premier

The name of Éric Tabarly is inseparable from that of the legendary Pen Duick, a remarkable dynasty of sailing boats that have marked the modern history of competitive sailing, and the Cité de la Voile Éric Tabarly rising up opposite the Ter, just a few cable's lengths from Lorient harbour, pays homage to this triumphant saga. It is a building that, in compliance with the client's specifications, combines the functions of mooring point (the Pen Duick are exhibited on the quayside when they are not in use), conservation (they will be maintained) and museum (exhibitions on the world of sailing programmed as from 2008, the year the site opens to the public). But it is also a symbol. A symbol of the unshakeable link between Lorient and the sea, as witnessed by the endless stream of ships and boats leaving for Groix and the imposing nearby Keroman submarine base built during the Occupation and, until 1997, owned by the French Navy. It is also the symbol of the dynamic approach taken by a group of local authorities, Cap l'Orient (Communauté d'Agglomération du Pays de Lorient, 19 authorities representing around 200,000 inhabitants), determined to redefine and revitalise life along this strip of Atlantic coastline by encouraging the development of leading edge technologies (the programmed construction of a new high-tech urban redevelopment zone), tourist activities and cultural influences.

The foremost quality of the Cité de la Voile Éric Tabarly is its discreet monumentality and unexpected iconic quality. There is no doubt that the building's force is flattering, even attractive and has a powerful visual impact. But there is nothing maximalist or extravagant about this approximately 70 by 70 metre building located next to the Ter and accompanied by a metal tower, the "Tour des Vents", which can be reached along a footbridge. With its ordinary building materials (concrete, glass, polycarbonate, painted aluminium panels and galvanised steel), measured height (around 20 metres for the main building and 30 metres for the "Tour des Vents") and simple configuration (two storey building with glazed ground floor elevations), the Cité de la Voile avoids being garishly ostentatious. The main building appears to be inseparable from the quayside where it seems to have taken root: its main elevation, glazed along the entire length on ground floor level, visually lightens the measured impact of the structure.

niveau, une halle surélevée, plus marqué esthétiquement que le rez-de-chaussée, se caractérise en façade supérieure par six rangées de panneaux photovoltaïques faisant office de pare-soleil. Leur disposition en bandeaux, favorisant l'horizontale, a néanmoins pour effet de « coller » le bâtiment au sol et de neutraliser tout effet baroque d'envolée. Même rétention de l'effet superlatif avec la « Tour des vents ». De forme ovale, rendue presque spectrale par son élévation en métal grillagé, traitée comme un objet autonome (phare ?, bite d'amarrage ?, kiosque de sous-marin ?, cheminée de transatlantique ?...), celle-ci n'en reste pas moins bien amarrée à l'étage du bâtiment du musée par un ponton en profilés d'aluminium évoquant les classiques ponts fermés Eiffel : aucune échappée possible vers la singularité. Tout ici se tient, l'unité de l'ensemble domine et fédère la diversité des parties. Seule la coiffe du musée, un bardage d'aluminium peint réagissant à la chaleur et jouant en conséquence de la lumière du jour, entre gris et bleu, couronne avec un raffinement visible les parties hautes du bâtiment. Mais sans exagération, là encore. On peut aussi voir en celle-ci, plus sobrement – c'est d'ailleurs là sa fonction – un simple capotage.

Bref, un bâtiment sage en tous points, cultivant équilibre plastique et lignes de fuite maîtrisées, au magnétisme avéré mais toujours tempéré.

On the upper level, a raised hall, more aesthetically marked than the ground floor, has six rows of solar panels along the upper elevation that double up as sunbreakers. Their strip layout, placing emphasis on horizontality, seems to fix the building to ground and neutralises all baroque detachment. The same measured refusal of extravagant gestures also applies to the "Tour des Vents". This oval-shaped structure, rendered almost spectral by its metal mesh elevation and its handling as an autonomous object (lighthouse? bollard? submarine turret? liner funnel?), is firmly moored to the upper floor of the museum by a pontoon bridge constructed from aluminium sections that bears a passing resemblance to an enclosed deck designed by Eiffel: a system rather than a distinctive feature. Everything on the site forms part of a united whole that dominates and federates the diversity of its component parts. The museum roof, a painted aluminium cladding reacting to heat and which consequently interacts with the alternating grey and blue of the sky above, provides a refined cover over the upper areas of the building. Here again, all extravagant gestures are avoided. The roof can also simply be interpreted as a component that fulfils its prime function as a cover.

In short, it is an understated building that places emphasis on sculptural balance and controlled vanishing lines, a building that is clearly attractive but always restrained.

Aparté 1. Positions
/ Aside 1. Positions

La Cité de la voile Éric Tabarly, « icône », « bâtiment-signe » ? Pour légitime qu'il soit, ce genre d'impression tributaire de l'abandon esthétique n'en est pas moins trompeur. Objet technique d'abord.

Jacques Ferrier n'en fait pas secret. Sa culture d'architecte, dans le sillage d'un Norman Foster[2], est celle des bâtiments fonctionnels : entrepôts, bureaux, unités d'enseignement, locaux administratifs. Son goût personnel, de concert, le porte aux constructions les plus « courantes » du paysage contemporain, seraient-elles haïssables : hangars périurbains du secteur commercial de masse ou, ruraux, avec leur toit de tôle ondulée, des fermes agricoles ; usines et silos ; bureaux standardisés des zones d'activités dédiées. Cette dilection est redevable d'un parti pris simple, au demeurant peu contestable : prendre en compte le fait élémentaire que *le monde existe* et, puisque tel est le cas, qu'il a son apparence, façonnée par l'usage, la contrainte, l'impératif fréquent de faire à moindre coût. « Mon intérêt s'est toujours porté vers des constructions fonctionnelles modelées par l'économie, se modifiant et se transformant au fil du temps. Je les regarde, les photographie inlassablement, peut-être comme une antidote à la sophistication de l'architecture, sophistication avec laquelle je ne me suis jamais senti à l'aise »[3]. Pas de dévotion à la vulgarité, par amour immodéré du quelconque. Un attachement raisonné, plutôt, à l'ordinaire, à ce que la réalité constitue par la force des choses. « Le fond essentiel de ma culture visuelle, ce sont les choses vues tous les jours, bâtiments de bric et de broc, constructions anonymes et banales, paysages brutalisés par des infrastructures... plus que les icônes de la culture architecturale »[4].

Architecte contextuel, Jacques Ferrier aime à rappeler cette anecdote, à propos du premier bâtiment qu'il eut à concevoir, le centre de recherche sur les matériaux de l'École des mines de Paris. Très sophistiqué, le matériel d'observation, d'analyse et de calcul que celui-ci est alors appelé à contenir a un coût supérieur à celui du futur bâtiment... Cette hiérarchisation de la valeur au bénéfice du contenu et non du contenant oblige à la retenue : éviter toute dérive des coûts. Elle commande aussi de l'architecte une position morale, celle du *service*. La notion d'architecture utile, dans ce cas, s'avère déterminante. Opérationnalité d'abord, il faut aller à l'essentiel en termes d'ergonomie spatiale. L'architecte n'a plus vocation à jouer à l'auteur,

2-Jacques Ferrier, avant d'ouvrir son agence à Paris, en 1990, a travaillé chez l'architecte londonien, connu pour son attachement à la construction high-tech.
2-Before opening his own agency in Paris in 1990, Jacques Ferrier, worked for this London architect known for his high-tech approach to architecture.

3-*Jacques Ferrier architectures. Utiles, la poésie des choses utiles*, Paris-Bâle, Ante Prima/Birkhäuser, 2004, p. 6.
*3-*Jacques Ferrier architectures. Useful, The poetry of useful things,* Paris-Bâle, Ante Prima/Birkhäuser, 2004, p. 6.*

4-*Jacques Ferrier architectures. Utiles, la poésie des choses utiles*, idem, p. 8.
*4-*Jacques Ferrier architectures. Useful, The poetry of useful things,* idem, p. 8.*

The Cité de la Voile Éric Tabarly, "icon" or "flagship building"? At the very least, this type of impression, tributary of aesthetic abandonment, is nevertheless deceptive. Firstly, from a technical point of view.

Jacques Ferrier makes no secret of his position. His architectural culture, following in the wake of Norman Foster[2], has led him to design functional buildings: warehouses, offices, teaching establishments and administrative premises. Alongside this, his personal taste has seen him work on the most "standard" constructions to be found in the contemporary landscape, no matter how commonplace they might seem: peri-urban hangars for the general commercial sector, as well as rural hangars and farms with their corrugated sheet metal roofs; factories and silos; standardised business park offices. This partiality results from a simple bias that is hard to contest: the taking into consideration of the elementary fact that the world exists *and, given that this is the case, its appearance results from the uses made of the constructions, the inherent constraints and the frequent need to build as cheaply as possible. "I have always been interested in functional constructions modelled by the need to make savings, and which change and transform over time. I look at them, take a huge number of photos, possibly as an antidote to architectural sophistication, a sophistication with which I have never felt at ease[3]". Rather than a devotion to vulgarity, there is an inordinate love of the ordinary; a reasoned attachment to what is mundane and to what reality inevitably produces. "The essential basis of my visual culture are those things that are seen every day, buildings made from bits and pieces, anonymous and commonplace constructions, landscapes brutalised by infrastructures – rather than icons of architectural culture[4]".*

As a contextual architect, Jacques Ferrier enjoys recounting that for the first building he designed, the materials research centre for the École des Mines in Paris, the very sophisticated observation, analysis and calculation equipment contained in the centre cost more than the future building itself. This hierarchization of value profiting the contents rather than the container demands that all cost drifts be avoided. It also requires that the architect assumes a moral position, that of providing a service. *In this situation, the concept of useful architecture is a determining factor. Firstly, from an operational point of view,*

à privilégier grands gestes intérieurs, symbolique séparatiste et masturbation mentale autocentrée. Prière de laisser l'« architecte artiste » à ses lubies romantiques et à ses rêves narcissiques d'inscription dans l'histoire des formes superlatives. Place, plus modestement, au concepteur impliqué, dans une logique qui est celle des arts appliqués, du *design*, plus que celle de l'art proprement dit. « J'ai besoin de me dégager des questions d'écriture et de style au début du projet, je préfère les faire intervenir le plus tard possible », précise à ce propos Jacques Ferrier, prudent à l'égard des positions de principe, qui sont d'ailleurs le plus souvent le résultat de préjugés, ou des postures[5]. « Dans mes projets, je recherche une réponse simple et directe au programme et une évidence constructive dans le but de créer une œuvre utile qui trouverait sa place dans la société, et dont la beauté serait avant tout, comme pour une usine ou un hangar agricole, la pertinence, la justesse par rapport au réel »[6].

Obligation d'insertion, réponse conforme au programme et mise en correspondance de la maîtrise d'ouvrage et de la maîtrise d'œuvre acquièrent dans ce cadre d'action le rang de principes fondateurs. Des principes à respecter sans dévier, avec en ligne de mire cet objectif, faire valoir au terme du projet, comme une démonstration *a posteriori*, la complémentarité du tandem contexte-efficacité. Jacques Ferrier, d'une formule synthétique : « Je suis persuadé que l'architecture de l'efficacité s'avère être la plus à même d'être une architecture du contexte »[7].

there is a need to fully control the spatial engineering. The architect's role is no longer that of an author able to impose his or her ideas, or make use of separating symbolism to engage in self-important intellectual posturing. Architects as artists with their romantic whims and narcissistic intentions to incorporate their dreams into the history of superlative forms should remain at their drawing boards. The role to be filled here is more modest, demanding a designer involved in a logic that is more based on the applied arts, on design, rather than art as such. "My approach requires that signature and style be placed to one side at the beginning of a project. I prefer incorporating these aspects as late as possible in the process" explains Jacques Ferrier who takes a cautious approach to positions of principle which are often no more than the result of prejudice and posturing[5]. "My approach to projects is to develop a simple and direct answer to the programme, one that offers a self-evident constructive methodology. The aim is to design a useful building, be it a factory or an agricultural hangar, that will find its place in society and whose beauty is expressed by its relevance and appropriateness to the surrounding environment[6]".

Within this context, the need to provide insertion, a solution complying with the programme and the creation of an understanding between client and architect become fundamental principles. These principles need to be fully respected and on completion of the project reveal, a posteriori, *the full complementarity between context and efficiency. As Jacques Ferrier puts it: "I am convinced that an efficient architecture is the one most likely to express a contextual architecture[7]".*

5-*Idem*, p. 150. Dans un entretien avec Emmanuel Caille.
*5-*Idem*, p. 150. In an interview with Emmanuel Caille.*

6-*Ibid.*, p. 8.

7-*Ibid.*, p. 226.

Aparté 2. Méthode
/ Aside 2. Method

L'historien de l'architecture Alexander Tzonis a pu légitimement insister sur la préférence de Jacques Ferrier pour le bâtiment de type « stoa », contre le bâtiment « temple »[8]. La *stoa*, originellement, c'est le bâtiment d'usage, la boîte : l'entrepôt sous toutes ses formes, génériques comme dérivées – un hangar d'aviation ou de tramway, une cave ou un grenier, un garage... La concevoir commande en priorité une qualification d'ingénieur, l'impératif stylistique se révélant accessoire ou, du moins, secondaire. Où la conception de l'architecture « temple » commande d'en passer par l'inscription socio-esthétique (le bâtiment comme emblème du pouvoir, toujours en quête d'esthétisation) et symbolique (le bâtiment signe), la conception de type *stoa* est avant tout affaire d'adaptation. Le bâtiment juste ? Dans ce cas, celui, tout bonnement, qui répond au mieux à l'usage attendu de lui.

Jacques Ferrier est un architecte « stoïque » de manière assumée, sans regret ni sentiment d'autoflagellation. Sa priorité pour l'efficacité en fait en toute logique un fonctionnaliste, quoique avec des nuances. La forme suit-elle la fonction, selon le précepte canonique de Sullivan, ce n'est cependant pas au point de faire de ce dernier une idéologie et une règle intangible, ainsi qu'en décida le fonctionnalisme historique, dont on connaît l'impasse finale. Si forme et fonction doivent instamment dialoguer, reste qu'un bâtiment n'est pas un objet autiste mais une structure *agrégée*. Agrégée à un lieu donné (le vernaculaire), à un temps précis (l'époque), à un devenir (le passage du temps), à un certain état de la technique (le mode de construction, la compétence, les matériaux disponibles). Le « bâti » est moins une victoire définitive qu'une solution à un problème passager de formalisation. Cet objet à la convergence de multiples données, l'architecte le synthétise au regard des possibilités mais aussi bien des impossibilités de son temps, techniques comme culturelles.

La position de Jacques Ferrier, dès ses débuts, privilégie l'approche expérimentale. Partir du plan neutre, par exemple. S'inspirer de l'environnement local et de la nature du site d'implantation, comme il le fera à Lorient même, un mois durant, avant de jeter les premières ébauches de la future Cité de la voile. Cette approche, comme telle, est labile, et fonction de quatre données constitutives, en plus du contexte évoqué plus avant :

8-Alexander Tzonis, « Un recruteur technique parmi les néo-cartésiens », in *Jacques Ferrier architectures. Utiles, La poésie des choses utiles*, *ibid.*, p. 16 sqq.
8-Alexander Tzonis, "A technical recruiter among the neo-Cartesians", in Jacques Ferrier architectures. Useful, The poetry of useful things, ibid.*, p. 16 sqq.*

The architectural historian Alexander Tzonis justifiably insists on Jacques Ferrier's preference for "stoa" rather than "temple" type buildings[8]. Initially, the stoa *was a functional building, a box: all types of warehouses, whether generic or derivative, an aircraft or tramway hangar, a cellar, an attic or a garage. Its design is essentially based on engineering, with the stylistic imperative considered as incidental or, at least, secondary. The design of a "temple" architecture demands the inclusion of a socio-aesthetic aspect (the building as an emblem of power, always in search of greater aesthetics) and symbolism (the flagship building), whereas a* stoa *type design is above all a matter of adaptation. But which is the right building? In this case, it is simply the building best adapted to what is required of it.*

Jacques Ferrier is a "stoic" architect. He assumes his role without regret or feeling of denial. The emphasis he places on efficiency logically lead him to be a functionalist, although with certain subtle differences. Although Jacques Ferrier agrees with Sullivan's canonical precept that form follows function, he does not consider this to be an ideology or an intangible rule as was historically applied by functionalism, whose final failure is common knowledge. While form and function need to create an immediate dialogue, a building is not simply an inward looking object but rather an incorporating *structure. It is incorporated into a given location (the vernacular), a specific time (the era) and a future (the passage of time), as well as a certain technical reality (construction method, skills and available materials). The "construction" is less a final victory than a solution to a transient problem of formalisation. The role of the architect is to synthesise this object lying at the convergence of wide-ranging requirements by analysing its technical and cultural possibilities and impossibilities.*

From the outset, the position taken by Jacques Ferrier has been to place emphasis on an experimental approach such as taking a neutral position or, as he did for Lorient, spending a month absorbing the environment before beginning the first sketches for the future Cité de la Voile. In itself, this approach is unstable and dependent on four sets of constituent data, in addition to the previously mentioned contextual methodology:

1. La nature de la demande, le plus souvent spécifique. Une demande rarement la même d'un bâtiment à un autre faisant de la conception architecturale une formule relative, ni exportable ni universalisable *a priori.*

2. Les moyens à mettre en œuvre, dans le sens de la rentabilité maximale (technique, économique), en recourant à ce que Jacques Ferrier appelle la « stratégie du disponible ». Rodée avec le bâtiment conçu pour Total Énergie, ZAC de la Tour-de-Salvagny, près de Lyon, en 1999, celle-ci consiste à utiliser un maximum de matériaux déjà éprouvés « en puisant dans l'univers quasi infini des catalogues », « recrutement de technologies déjà toutes prêtes qui ont l'avantage d'exister et ne demandent qu'à être montrées sous leur meilleur jour », dit l'architecte : « Cette « stratégie du disponible » est un moyen d'arriver à proposer des réponses généreuses, denses dans leur matérialité, tout en travaillant avec des matériaux absolument communs déjà vus partout ailleurs »[9].

3. Le rendement environnemental. Jacques Ferrier, dès ses débuts, s'est fait une spécialité du bâtiment écologique, de la plus petite échelle (sa *Maison des canisses*, à Limoux) à la plus grande (conception des tours *Hypergreen* et *Phare* pour La Défense[10]) ou à la plus courante (le bureau, à travers l'opération *Concept Office ©*, élaboration, avec le concours d'EDF, d'un prototype de bureau HQE[11]). Tel qu'il le conçoit, le bâtiment doit tirer tout le parti des conditions environnementales qui sont les siennes : exploitation calculée des ressources climatiques locales et, partant, économie énergétique maximale.

4. La prise en compte du devenir, dans l'optique d'une éventuelle modification de l'affectation du bâtiment. La logique de l'adaptabilité telle que la conçoit Jacques Ferrier envisage toujours comme possible une utilisation du bâtiment différente de sa destination d'origine. Cette projection de la conception dans l'avenir coordonne une écriture architecturale « ouverte » ayant soin d'éviter de surdéterminer et de singulariser à l'excès les caractéristiques du bâti. Orthogonalité du plan, structure simple et lisible, priorité donnée au plateau, dégagements larges permettant un éventuel réaménagement intérieur, signalétique extérieure réduite à l'essentiel sont systématiquement privilégiés.

1. The nature of the demand, generally specific. This demand is rarely the same from one building to another, meaning that architectural design is a relative formula that a priori *cannot be exported or generalised.*

2. The means to be implemented in terms of maximum yield (technical and economic) by making use of what Jacques Ferrier calls the "strategy of the available". This approach, developed with the building designed for Total Énergie in the ZAC de la Tour-de-Salvagny near Lyon in 1999 consisted in, wherever possible, using materials that had already proven themselves "by dipping into the virtually inexhaustible universe of catalogues", "using ready-made technologies that have the advantage of already existing and that simply demand that the best possible use be made of them". The architect goes on to explain that "this 'strategy of the available' is a way of being able to propose generous and realistic solutions using readily available materials that have fully proven themselves[9]".

3. Environmental performance. From the outset, Jacques Ferrier has specialised in ecological buildings, from the smallest scale (his Maison des canisses *in Limoux) to the largest (design of the* Hypergreen *and* Phare *skyscrapers in La Défense[10]) via the development of standard solutions (the office, through the* Concept Office © *operation, being the development of a HEQ[11] office prototype with assistance from EDF, the French electricity board). He believes that a building should take full advantage of its particular environmental conditions, make a calculated use of local climatic resources and, as a result, derive maximum energy savings.*

4. The incorporation of the future in view of potential modifications to the use of the building. The adaptability incorporated into the designs produced by Jacques Ferrier always provides for a use of the building different from that initially programmed. This projection of the design into the future coordinates an "open" architectural form that takes care to avoid overdetermining and excessively singularising the characteristics of the built form. Emphasis is always placed on orthogonal plan layouts, a simple and easily readable structure, priority given to open plan layouts, wide circulation areas permitting potential refits and the reduction of external signage to a minimum.

9-Un exemple concret d'application de cette « stratégie du disponible » : « J'utilise le même panneau de bardage employé habituellement pour les hangars industriels et les centres commerciaux, mais je m'attache, dans la façon d'assembler ces divers produits les uns avec les autres, à composer un langage qui finit par devenir propre à chacun des bâtiments » (*Jacques Ferrier architectures. Utiles, la poésie des choses utiles, op. cit.*, p. 100-110).
*9-The following represents a concrete example of the application of this "strategy of the available": "I use the same cladding panels generally employed for industrial hangars and shopping centres, but the way that these various products are assembled together results in a language specific to each building" (*Jacques Ferrier architectures. Useful, The poetry of useful things, op. cit.*, p. 100-110).*

10-Sur les tours « Hypergreen » et « Phare », voir *Making of - Phare & Hypergreen towers*, Paris, Ante Prima/ AAM, 2006.
10-For "Hypergreen" and "Phare" skyscrapers, see Making of - Phare & Hypergreen towers, *Paris, Ante Prima/ AAM, 2006.*

11-*Concept Office. Architecture prototype*, Paris, Ante Prima/ AAM, 2005.

Le cas Lorient

/ The Lorient project

Concevoir un musée de la voile, en bordure, qui plus est, d'un littoral déjà aménagé ? Au regard de ses engagements propres, Jacques Ferrier n'incarne pas forcément, pour ce faire, le candidat idéal. Sa culture du bâtiment industriel, sa conviction selon laquelle l'efficacité structurelle est le déterminant premier du style constitueraient même *a priori*, au vu d'un tel challenge, autant de handicaps : on n'attend pas en général d'un musée en charge d'évoquer les choses de la mer et la plaisance qu'il arbore l'air d'un bâtiment technique. Enfin, sa répugnance à l'égard de l'art pour l'art, et de la gratuité. Le dernier quart de siècle a multiplié les musées en tous genres, effet du développement sans précédent de l'industrie culturelle. Il en a découlé une production architecturale signalée par la stratégie de l'affichage global (du bâtiment ; de l'architecte, pour la circonstance « starisé » ; de l'institution) et la priorité donnée au contenant sur le contenu (effet « Bilbao Guggenheim ») – une production architecturale que distingue, pour le pire, son fréquent irrespect des missions qui sont et devraient rester celles d'un musée, exposer un matériau culturel pour lui-même et pour en assurer la pérennité mémorielle. L'attachement de Jacques Ferrier à la contextualité, sa volonté, aussi, de « coller » à la demande, à cet égard, ne le prédisposent en rien à jouer les premiers rôles.

Quand il entreprend de concourir à sa réalisation, en 2000, Jacques Ferrier envisage le futur musée de la voile de Lorient moins comme un concept que comme une expérience à mener au coup par coup. Qu'entendre par là ? Qu'aucune règle ne sera appliquée aveuglément, ni nul programme dévidé d'entrée de jeu. « Penser » le projet, plus humblement, commande en premier lieu de qualifier les spécificités du site et de la demande locale. Le lieu d'implantation du futur musée est compliqué, difficile même. Ce lieu est, incontestablement lourd, « sur-inscrit » dans sa partie terrestre, celle de la base sous-marine de Keroman forte de ses trois *bunkers* monumentaux, un périmètre que jouxtent de surcroît maints reliquats de la période d'occupation militaire du site (une petite capitainerie-restaurant en bord d'eau, notamment), outre

How to go about designing a sailing museum next to the sea on a coastline that has already been developed? Given his architectural philosophy, Jacques Ferrier was not necessarily the ideal candidate for the project. His involvement in industrial buildings and conviction that structural efficiency is the determining factor for architectural style might a priori *have seemed handicaps given the challenge of this particular building. Generally speaking, a museum whose purpose is to evoke all concerning the sea and sailing is not expected to resemble an industrial building. And then, of course, there is his dislike of art for art's sake and gratuitous gestures. The last quarter century has seen the construction of a vast number of different types of museums, the result of the unprecedented development of a cultural industry. This has resulted in an architectural production that aims to provide a global presentation (the building, the architectural star and the institution itself) and which places more emphasis on the container than on the contents (the Bilbao Guggenheim effect). In the worst cases, it is an architectural production that lacks respect for the missions that are and which should remain those of a museum, being to exhibit a culture and continue to allow it to express itself over time. Jacques Ferrier's concern for contextuality and his determination to fully answer the needs of the project did not make him the most obvious architect for the job.*

When he entered the competition for the museum in 2000, Jacques Ferrier saw the future Musée de la Voile de Lorient less as a concept than as an experiment to be progressively developed. This approach implied that no rule would be blindly applied nor would there be any assumed programme. The more humble approach of "thinking" the project into existence meant qualifying the specific attributes of the site and understanding the local demand. The site of the future museum is complicated and difficult. There is already a dense land occupation represented by the Keroman submarine base with its three gigantic bunkers, an area that also lies adjacent to a large number of relics dating back to the military occupation of the site (in particular, a small harbour master's office-

de grands hangars de forme parallélépipédique, établis depuis peu, servant à la préparation de voiliers de compétition. Contradictoirement, pour peu que l'on embrasse du regard, cette fois, le bras de mer du Ter et la rade donnant sur le large, le milieu où devoir implanter le nouveau bâtiment est aussi très ouvert : paysage par excellence graphique qu'aplatit la ligne horizontale de la côte, paysage fort atmosphérique aussi où le ciel se déploie sans obstacle visuel au-dessus de la surface de l'eau marine. S'il compose un tout solidaire au regard des fonctions humaines qui s'y déploient (activités portuaires liées à la plaisance, transit maritime), l'ensemble n'en reste pas moins disparate et hétéroclite par l'apparence. Cumul contradictoire de minéralité et de diaphanéité, de plein et de vide, de fermeture visuelle et d'ouverture panoramique. Le seul bâtiment « possible », dans ce cas, sera un bâtiment-liaison, qui fait lien, qui aboute terre et mer.

La demande locale – le musée proprement dit – ajoute à la difficulté de la conception architecturale. La future Cité de la voile Éric Tabarly, on l'a dit plus haut, se doit d'être un musée, une structure conservatoire. Mais comment y exposer les Pen Duick, ceux-ci, à l'exception d'un seul de la série, perdu en mer, étant et devant rester utilisables ? Un ponton, certes, est ancré en bord de site, à quelques encablures du quai, où seront amarrés les bateaux. Comment établir toutefois la liaison physique entre le musée (sol) et l'espace de contact avec ces derniers (mer) ? Risque d'une incohérence dans l'organisation des structures d'accueil, d'une rupture concrète des parcours du futur public, d'une discontinuité. Autre difficulté à surmonter pour l'architecte, l'intégration visuelle. En la matière, comment lutter avec la formidable massivité des trois *bunkers* de Keroman, excroissance monolithique d'une puissance d'attraction telle qu'ils captent le regard plus que tout autre point du site ? Encore, la mission muséographique proprement dite, d'une triple finalité, selon les vœux de Cap l'Orient, pilote institutionnel de l'opération : maintenir vivante la légende des Pen Duick et de leur *skipper* mythique, Éric Tabarly ; assurer sur le site ou dans son immédiate périphérie la maintenance des cinq voiliers de la classe des Pen

restaurant giving onto the sea) as well as a number of recent large parallelepiped-shaped hangars used to prepare competition sailing boats. On the other hand, on condition of looking into the distance, the Ter sound and the harbour giving onto the open sea, the area where the new building is to be located, is also very open: a graphic landscape flattening the horizontal line of the coast, a highly atmospheric landscape in which the sky drops down into the sea without any visual interruption. While it represents a composite whole insofar as the human activities taking place there are concerned (port activities linked to boating, sea transit), the overall impression is one of a disparate and contrasted setting. It offers a contradictory accumulation of hard and diaphanous surfaces, solids and voids, visual containment and open horizons. The only "possible" building in this particular case would be a building able to create a link between land and sea.

The local demand – the museum itself – adds to the difficulty of the architectural design. As earlier mentioned, the future Cité de la Voile Éric Tabarly is intended to be a museum, a place in which to conserve and protect. But how to exhibit the Pen Duick boats which, with the exception of one of the series lost at sea, are and must continue to remain sailable? The answer is provided by a pontoon where the boats will be moored, lying a few cable's lengths from the quayside right next to the site. The problem was how to establish a physical link between the museum (land) and the contact with the boats (sea)? There was a risk of creating incoherence in the organisation of the reception structures, a physical break in the route taken by the future visitors, a discontinuity. Another difficulty to be overcome by the architect was that of visual integration. How to counterbalance the massive presence of the three Keroman bunkers, a monolithic excrescence that nevertheless has a power of attraction as it focuses attention more than any other point of the site There was also the museographic mission as such of fulfilling the three functions imposed by Cap l'Orient, the institutional organiser of the operation: keep alive the legend of the Pen Duick and their mythical skipper, Éric Tabarly; provide the necessary maintenance

Duick encore en état de naviguer ; créer une animation durable de type muséographique autour de la voile et des grandes compétitions maritimes. Ce type de demande, qui empile le patrimonial avec le culturel et l'activisme, n'est pas loin de tenir du casse-tête.

Enfin, cette mission complémentaire, corrélée à l'idée de signal : faire de la nouvelle Cité de la voile un point nodal, un foyer de cristallisation, un épicentre local. Le bâtiment de la future Cité ou ses environs immédiats, à moyen terme, sont appelés en effet à servir de point d'ancrage à diverses manifestations liées à la pratique de la voile, en particulier le départ de courses de haute mer. La végétalisation de ses alentours (création d'un parc d'agrément) est au surplus programmée.

for the five Pen Duick class sailing boats still able to put to sea; and create a sustainable museographic type of activity based on sailing and major sailing competitions. This type of requirement, combining heritage with culture and events, was a considerable challenge.

Lastly, the correlation of an complementary mission of creating a signal, in other words, a way to make the new Cité de la Voile a node, a focal point, a local epicentre. The building for the future Cité and its immediate surrounds will be called on in the medium term to serve as anchor points for a range of events linked to sailing, especially as the departure point for offshore races. The general programme also includes the landscaping of the surrounding area (creation of a leisure park).

Une réponse calculée
/ A calculated response

« Ma formation scientifique, dit Jacques Ferrier, me prédispose à me sentir à l'aise dans tout ce qui ressemble à une construction de la raison »[12]. La Raison, comprendre ici l'organisation logique, tel sera donc, pour l'occasion, le nerf premier de la conception. À trois points de vue prioritaires : la définition du plan, l'établissement de la structure, l'insertion dans le site préexistant.

Définir le plan de la future Cité de la voile, d'emblée, pose problème. Deux possibilités, pour faire court : soit approcher au maximum le bâtiment du quai comme le voudrait le sens commun, au prétexte de favoriser la fusion terre-eau ; soit reculer le bâtiment et en faire un objet autonome, une structure non pas ancrée au rivage mais valorisée pour elle-même, ayant pris pied sur un territoire qui lui est propre. Jacques Ferrier opte pour cette seconde option, en rien illégitime : c'est prolonger là, en créant un effet de scansion visuelle et d'écho, le semis voisin des trois lourds *bunkers* de la base sous-marine. Quant au plan-masse du futur bâtiment, du moins pour ses contours, celui-ci se voit réduit à sa plus simple expression : un vaste rectangle, bien dans l'esprit du code géométrique dominant propre aux *bunkers* tout proches, dont l'un est situé juste derrière le site, à moins de cent mètres de distance. L'orientation du bâtiment, elle, est simplement déduite de celle de la ligne de quai, et de l'ensoleillement. Exposée au sud, la façade face au Ter servira d'espace d'entrée, la façade nord concentrant pour sa part les accès aux locaux techniques. Autre décision visant, celle-là, à maintenir au bâtiment sa cohérence : l'atelier d'entretien des Pen Duick (le « garage ») est intégré dans le musée même. Précisons que cette décision va à l'encontre du cahier des charges, qui demande une localisation des structures d'entretien en annexe. Un voile béton sera dressé autour de ce « garage » intégré, prévoit Ferrier, mais alors percé de grandes ouvertures, de façon à ce que le public puisse être confronté à d'authentiques bateaux au sein du musée proprement dit : mise en correspondance du réel (le garage et son contenu) et de la représentation (le musée, ses expositions).

La structure pour laquelle opte Jacques Ferrier lui est familière : celle d'un hangar classique – un « shed », comme il le dit –, hangar à un niveau avec plateau d'étage faisant halle. Pas de creusement, toujours coûteux, pas non plus d'infrastructures enterrées, par souci de la simplicité : le bâtiment est de plain-pied, à

Jacques Ferrier explains that "my scientific training leads me to feeling at home in all that is based on reasoned construction[12]". In this particular case, reason is held to mean the logical organisation that fundamentally governs the design. It is based on three specific aspects: defining the layout, choosing the structure and inserting the building into the existing site.

From the outset, defining the layout of the future Cité de la Voile raised a problem. In a nutshell, two possibilities presented themselves: either approach the building as close as possible to the quayside as would seem dictated by common sense to encourage the merging between land and water; or pull the building back from the water's edge so that rather than being anchored to the shoreline, it stands out in its own right and on its own specific site. Jacques Ferrier opted for this second completely appropriate solution, creating a visual scan echoing the form of the nearby monolithic submarine base bunkers. The contours revealed by the future building's block plan are reduced to their simplest expression, a vast rectangle that fully respects the dominant geometric code of the nearby bunkers, one of which lying just behind the site at a distance of less than a hundred metres. The building's orientation is simply dictated by the line of the quayside and sunlighting requirements. With its southern orientation, the elevation facing the Ter will provide the entrance space, while the north elevation will essentially give access to the various technical rooms. A further decision was also taken to assure the building's coherence: the Pen Duick workshop (the "garage") is integrated into the museum itself. It is worth noting that this decision contradicted the client specifications which required an annexe area for the maintenance structures. This integrated "garage" will be surrounded by a concrete wall pierced by large openings allowing the public to see real boats within the museum itself. The idea was to create a relationship between reality (the garage and its contents) and representation (the museum and its exhibitions).

Jacques Ferrier then chose a structure with which he was already familiar, a single level hangar – or a shed as he likes to put it – with an upper floor area acting as a hall, a solution that avoids all expensive excavations. Similarly, to ensure structural simplicity, there are no buried substructures. It is

12-*Jacques Ferrier architectures. Utiles, la poésie des choses utiles, op. cit.*, p. 126.
12-Jacques Ferrier architectures. Useful, The poetry of useful things, op. cit., *p. 126.*

hauteur de quai. Dans un sol béton est fichée, en colonnettes, une forêt de piliers métalliques qui resteront nus, plantés à distance respectable de manière alignée mais irrégulière, et ménageant de larges portées. Un espace muséal est un espace que l'on parcourt : inutile en conséquence d'y multiplier les obstacles. Clavées en autobloquant Vierendeel, les poutres horizontales prenant appui sur les piliers verticaux vont permettre l'élévation d'un bâtiment-cage d'une totale limpidité structurelle : un treillis aéré. Côté sud – la future façade d'accueil – un porte-à-faux de près de dix mètres sera ménagé à hauteur de l'étage : celui-ci sert de « casquette » aux zones d'accueil, situées à l'aplomb, visière les protégeant d'un trop fort ensoleillement. Très affaissée, à dessein aplatie, la ligne de toit au tracé heurté résulte de la déformation vers le maximum d'horizontalité possible du faîtage de toiture, l'importance de la pluviométrie locale interdisant le toit plat. L'effet de vague que prodigue la ligne de ciel du bâtiment ne tient en rien de la métaphore. Pas là de citation de la houle toute proche mais la simple conséquence du désir de donner à la structure du bâtiment sa conformation la plus grande et la plus rigide possible en termes de contrainte physique, celle d'un parallélépipède rectangle aux angles d'arête unifiés au maximum. Le bâtiment-cage étant ainsi défini, reste alors à y découper les différentes zones dédiées, espaces servants et espaces servis, selon une localisation fondée sur la répartition utile. Au rez-de-chaussée, les structures d'accueil, l'auditorium, les locaux techniques (regroupés), outre le « garage » et l'espace d'exposition de la grande maquette d'un Pen Duick venant occuper l'épaisseur totale du bâtiment, du plancher au faîtage. À l'étage, auquel on accède par un double ascenseur servant de pôle de liaison visuelle entre les deux niveaux du bâtiment, un plateau plus généreux encore (450 m²) dont la planéité n'est brisée que par la présence (non envahissante) du centre de ressources et des bureaux de l'administration. Pas d'espace « universel » *stricto sensu* : la fonction muséale l'interdit. Une distribution spatiale est néanmoins cohérente en ce qu'elle laisse aux scénographes du musée toute latitude de présentation (les expositions sont provisoires et renouvelées, leur thème, constamment modifié) sans que le plan du bâtiment vienne constituer un élément de complication muséographique.

Quant à l'insertion de la Future Cité de la voile dans le site préexistant, troisième des priorités de Jacques Ferrier, celle-ci

essentially a single storey building built on the same level as the quayside. A forest of exposed metal pillars rises up from a concrete floor. Set out at a respectable distance from one another, these aligned but irregularly placed pillars are able to provide long carrying spans. A museum space is one that visitors move through and, consequently, there is absolutely no point in increasing the number of obstacles encountered. Keyed using self-locking Vierendeel girders, the horizontal beams bearing on the vertical pillars will permit the construction of a clearly understandable cage-type open grid building. On the south side – the future reception elevation – an almost ten metre cantilever will extend outward from the upper floor level to cover the external reception area lying below and protect visitors from the summer sun. The highly shaped form of the roof is due to the particularly flattened ridge line, a feature required due to the considerable amount of rainfall in the region which prevented the use of a flat roof. The wave effect resulting from the sky line is not intended to act as a metaphor. Rather than referring to the nearby sea swell, it is simply the result of trying to give the building a structure as large and as rigid as possible in terms of physical constraint, that of a rectangular whose edge angles are as unified as possible. With the cage-type building thus defined, the next step was to break the surfaces down into different specific service and exhibition spaces organised so as to take maximum advantage of the general layout. On the ground floor, the reception structures, auditorium and grouped technical rooms, as well as the "garage" and an exhibition area housing a large model of a Pen Duick, occupy the entire depth of the building and rise up from floor level to roof ridge. The upper floor, reached by a double lift bank providing a visual link between the two levels, contains an even larger floor level (450 sq. m) whose flat expanse is only broken by the (non-invasive) presence of the resources centre and administrative offices. There is no "universal" space stricto sensu as this would have been contrary to the building's function as a museum. However, the spatial distribution is coherent inasmuch as it leaves the museum scenographers with a vast amount of freedom to organise the presentations (the exhibitions are temporary and renewed, and their themes constantly modified) without the building layout representing a museographic complication.

The insertion of the future Cité de la Voile into the existing

va se concrétiser à travers deux décisions. D'une part, mettre en relation visuelle le bâtiment principal de la Cité de la voile et le *bunker* de la base sous-marine qui en est le plus proche. Au mur d'entrée planté en biais de ce dernier, créant un retrait de la base bâtie par rapport au sommet, Ferrier répond par un identique tracé de biais et de retrait du mur est de la Cité de la voile : parfait effet de décalque visuel pour qui regarde la Cité depuis la « Tour des vents », dans l'axe du premier *bunker*, la ligne des deux murs, celui de la Cité, celui du *bunker*, se suivent exactement. D'autre part, relier par un point haut (le premier étage) le bâtiment du musée à une tour aménagée sur le quai de visite des Pen Duick au mouillage, la future « Tour des vents ». « Ce système bâtiment-passerelle-tour ancre la Cité de la voile au Ter, celle-ci se retrouve comme amarrée, fichée dans le paysage », argumente Jacques Ferrier[13]. Un coup particulièrement bien joué si l'on prend en considération la différence d'échelle, de forme et de fonction de ces trois entités différenciées que sont ici le bâtiment (une boîte), la passerelle (un tube carré de petite section à l'horizontale) et la tour (un tube ovale de forte section à la verticale) : trois entités pour l'occasion solidarisées et « solidarisant » en retour le bâtiment, bâtiment qu'elles rendent homogène en plus de le fixer au site par tous les points, la terre (le bâtiment principal), la mer (la tour), le vide de l'air (la passerelle).

site, being the third of Jacques Ferrier's priorities, was developed through two major decisions. The first of these was the creation of a visual relationship between the Cité de la Voile's main building and the closest of the submarine base bunkers. The angled entrance wall of the bunker, creating a setback from the summit, is echoed by Ferrier through an identical angled set back wall to the Cité de la Voile. This device offers a visual mirror of the Cité along the axis of the bunker whose lines perfectly follow one another when seen from the "Tour des vents". The second decision was to create a tower, the "Tour des Vents", on the quayside where the Pen Duicks are moored, linked to the first floor of the museum. "This building-footbridge-tower system anchors the Cité de la Voile to the Ter, as if permanently moored in the landscape" explains Jacques Ferrier[13]. It is a particularly successful architectural solution given the differences in scale, form and function of the three different entities represented by the building (box), footbridge (a square horizontal tube constructed from small elements) and tower (a wide vertical oval tube): three interdependent elements locking together the three aspects of the Cité de la Voile, assuring its homogeneity and fixing it to the site by land (the main building), sea (the tower) and space (the footbridge).

13-Lors d'un entretien avec l'auteur de ce texte, en mai 2007.
13-During a discussion with the author of this article, in May 2007.

Moins de décor et plus d'écologie

/ Less décor and more ecology

Il y a plusieurs manières de considérer – d'*évaluer* – un bâtiment. L'une d'elles consiste à regarder, en jugeant par l'apparence. Une autre, à décrypter ce que la forme, appréhendée comme un révélateur analytique, vient décliner de la fonction attendue du bâti. On en jugera plus justement de la Cité de la voile Éric Tabarly, à cet égard, en oubliant la forme en tant que telle, au profit de ce qu'elle indexe, ici le primat de la *cohérence*.

Bâtiment par excellence « cohérent » que la Cité de la voile Éric Tabarly ? Cela ne fait aucun doute. Une cohérence, pour l'occasion, décelable encore à deux titres. D'abord, l'économie en matière de décor, celui-ci se voyant réduit à la portion congrue : à l'étage, des faux plafonds en bois pouvant rappeler les églises jadis construites, comme à Honfleur, par les charpentiers de marine, sortes de coques de navire renversées. En matière d'habillage du bâtiment, la position de Jacques Ferrier est on ne peut plus claire, et assumée. Habillage, pour lui, ne saurait vouloir dire superflu. On connaît la tentation – la faiblesse – récurrente que manifestent nombre d'architectes, les plus grands y compris, sitôt qu'ils livrent un bâtiment d'écriture élémentaire, bâtiment pauvre symboliquement et de ce fait suspect de ne jamais assez se dissocier du tout-venant de l'architecture utilitariste : habiller, sur-vêtir, s'abandonner à la cosmétique (immeubles de Arup Associates ou de Foster and Partners à Stockley Park, dans la banlieue londonienne, de manière emblématique). À bon droit, cette réponse passant par l'ajout inutile peut être jugée sévèrement. Elle est à la fois facile (se reposer sur la décoration), anachronique (Adolf Loos voici déjà plus d'un siècle, pour qui « l'ornement est un crime », la faillite de l'architecture postmoderne surdécorativiste), immorale aussi (elle trahit la fonction en la sublimant de manière dévoyée). L'esthétisation n'est pas haïssable, aurait-on pour visée, à l'instar de Jacques Ferrier, la mise en forme concrète d'un fonctionnalisme sans afféterie. Sous cette condition cependant, faire du décor le partenaire logique de la structure et de l'usage du bâtiment, et *rien de plus*.

La Cité de la voile ne manquera pas d'apparaître comme le dernier en date des « chantiers énergétiques » de l'architecte Jacques Ferrier, dans la lignée de son *Concept Office* © et de l'expérimentation menée sur les tours *Hypergreen* et *Phare*, très à la pointe de la recherche écologique appliquée à l'architecture. Quelles seraient, à cette entrée, les spécificités de la Cité de la voile ? D'abord, sa conception morphologique, qui limite

There are several ways in which to consider – to evaluate *– a building. One consists in looking at it and judging its appearance. Another is to decipher whether the form, approached as an analytical indicator, expresses the building's function. Considering this latter method, the Cité de la Voile Éric Tabarly is better judged if the form as such is put to one side and replaced by an analysis of its* coherence.

There is no doubt that the Cité de la Voile Éric Tabarly building is particularly coherent. This coherence is specifically expressed in two different ways. Firstly, the restrained décor which is specifically used where needed: on the upper floor, the suspended wooden ceilings are reminiscent of the churches of the past built by shipwrights and whose roofs resemble upturned hulls, such as can be seen in Honfleur. Jacques Ferrier takes a very clear position concerning the finishes to buildings: they should never be superfluous. Everyone is aware of the recurrent temptation – and one might even say weakness – of a large number of architects, even the most well-known, who, when they design buildings with little meaning or that are symbolically poor and which never sufficiently dissociate standard solutions from utilitarian architecture, tend to make use of cladding, fiddly details and cosmetic solutions (buildings by Arup Associates or Foster and Partners at Stockley Park just outside London provide typical examples). These types of solutions, based on meaningless additions, deserve to be judged severely. They are too easy (based on decoration), anachronistic (over a century ago Adolf Loos considered that "ornamentation was a crime"), an example of a failed architecture (overdecorative post-modernism), or immoral (betraying the function through a sublimated distortion). The introduction of aesthetics is fully acceptable on condition that the aim, like that developed by Jacques Ferrier, is to give physical form to an affectation-free functionalism. On this condition and only on this condition*, decoration can become the logical partner accompanying the building's structure and use.*

The Cité de la Voile will reveal itself as the latest of the architect's "energetic sites", applying the principles already expressed in his Concept Office © *book and physically used for the* Hypergreen *and* Phare *skyscrapers. This leading edge ecological research applied to architecture will be even further developed for the Cité de la Voile and be expressed through its morpho-*

les grands écarts thermiques (recours systématique à des matériaux isolants, visière du balcon du niveau 1 protégeant la façade basse du rez-de-chaussée, limitation des ouvertures latérales, refus des verrières zénithales...). Ensuite, la sophistication de ses systèmes de confort thermique (circulation d'air calibrée, refroidissement par système de circulation, dans les sols, d'eau de mer véhiculée depuis la « Tour des vents » par une pompe à chaleur immergée...). Encore, le cumul de certaines fonctions dont les potentialités énergétiques viennent s'épauler. Comment ne pas relever, à ce registre, l'utilisation « à triple fin » des quelque 150 m² de capteurs photovoltaïques installés sur la façade sud du bâtiment ? Ceux-ci, qui accumulent de l'énergie (l'équivalent de 10 % de l'électricité consommée par le site), servent aussi de pare-soleil pour le premier niveau, en plus de produire un magnifique effet « vitrail » quand on regarde le ciel depuis l'intérieur du musée (Jacques Ferrier, pour obtenir ce résultat, a demandé au fournisseur de livrer des panneaux transparents, au dos non peint[14]). Enfin, un mot des deux éoliennes installées au sommet de la « Tour des vents », qui produisent l'énergie nécessaire, d'une part à la projection, de nuit, d'un faisceau lumineux balayant la rade, d'autre part à l'éclairage des bâches fixées à même la tour et annonçant le programme des expositions de la Cité de la voile. Le tout, loin de sur-techniciser le bâtiment et d'en faire une usine à gaz, en le rendant à l'évidence plus désirable que répulsif. Objectif implicite, même s'il n'est pas fondamental, selon le vœu de Ferrier en personne, « faire en sorte que la construction durable devienne une architecture désirable »[15].

logical design which will avoid all major thermal shifts (generalised use of insulating materials, balcony canopy on level 1 protecting the ground floor elevation below, reduced number of side openings, no glazed roofs, etc.). The building will also use sophisticated thermal comfort systems (calibrated air circulation, cooling through the circulation system, seawater drawn in through the floors via the "Tour des Vents" using an immerged heat pump, etc.). Finally, there will be the combination of certain functions with a high energy potential, including the "triple" use of 150 sq. m. of solar cells positioned on the building's south elevation. These cell panels, as well as covering 10% of the site's energy consumption, also act as sunbreakers for the upper level and provide a magnificent "stained glass" effect when looking up at the sky from inside the museum (to obtain this effect, Jacques Ferrier asked the supplier to provide transparent panels with an unpainted rear face[14]). Finally, two wind turbines at the top of the "Tour des Vents" will produce the energy necessary for the nighttime projection of a light beam sweeping over the harbour and the lighting for the panels attached to the tower announcing the Cité de la Voile exhibition programme. When taken together, rather than making the building overly technical and creating a pointlessly complex system, these aspects increase its interest. The implicit objective, even if not fundamental is, according to Jacques Ferrier, "to find a way to make sustainable construction into a desirable architecture[15]".

14-La perte énergétique consécutive à cette modification est plus que minime : - 1 %.
14-The energy loss resulting from this modification is minimal: - 1 %.

15-*Making of*, Phare & Hypergreen towers, Ante Prima/AAM, Paris, 2006, p. 55.

Un bâtiment nommé outil
/ *The building as a tool*

Bel objet que les revues d'architecture en quête de spectaculaire ne manqueront pas de louanger pour ses vertus plastiques (elles sont indéniables, quoique secondes), la Cité de la voile Éric Tabarly apparaîtra plus utilement comme une sorte de prototype. Le prototype, en l'occurrence, du bâtiment « sur-utile » à la forme relative, champion d'intégration, d'économie et de respect environnemental. Un cas d'école, à le parier. Une œuvre d'aujourd'hui, aussi, et non des moindres, engageant tout le potentiel de la technique contemporaine, où l'architecte est totalement l'ingénieur et vice-versa.

« Les musées « œuvres d'art » m'ennuient et me semblent entraîner la confusion pour le visiteur. Ils sont trop encombrants pour s'effacer devant leur contenu », dit Jacques Ferrier, avec le propos duquel on agréera volontiers[16]. Ce nécessaire effacement dont parle ici l'architecte, ce sera paradoxalement la leçon à laquelle nous convie le travail de Jacques Ferrier en dépit de l'évidence et de la force de son propos. Ne pas produire des bâtiments mais, plus sagement, les effacer, les rendre transparents, quoique serviables. Dit autrement, concevoir des outils de travail altruistes et non des dispositifs autoritaires forcément oublieux de l'usage, ce maître mot de l'architecture concrète, jusqu'à nouvel ordre.

16-*Jacques Ferrier architectures.* Utiles, la poésie des choses utiles, *op. cit.*, p. 206.

16-Jacques Ferrier architectures. Useful, The poetry of useful things, op. cit., p. 206.

While an attractive object that architectural magazines in search of the spectacular will be sure to praise for its artistic virtues (undeniable although secondary), the Cité de la Voile Éric Tabarly will in fact reveal itself more usefully as a sort of prototype, an adaptable multi-use building that champions integration, economy and environmental respect. It is clearly a textbook example. It is also an important building, one that makes full use of the potential offered by contemporary technology, a building where architecture and engineering are inseparable.

"Museums as 'works of art' annoy me and I feel they create confusion for visitors. They are too present to allow their contents to shine" explains Jacques Ferrier; a position with which we readily agree[16]. This necessary architectural self-effacement mentioned by the architect is paradoxically, given the clarity and force of his argument, the lesson provided by Jacques Ferrier's design. Rather than produce buildings, the architect's role is to make them unnoticeable, transparent yet accommodating. Put another way, the architect's role is to design altruistic work tools rather than authoritarian devices that ignore the uses made of the building. This is because, for the time being at least, it is the use of the container rather than the container itself that should dominate.

TABARLY

VOILE

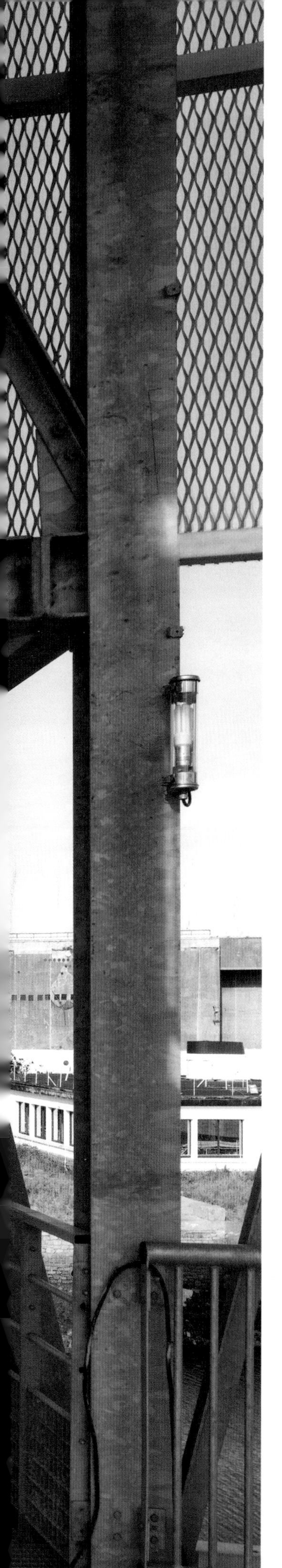

Groupama

CITÉ DE
LA VOILE
ERIC
TABARLY
LORIENT

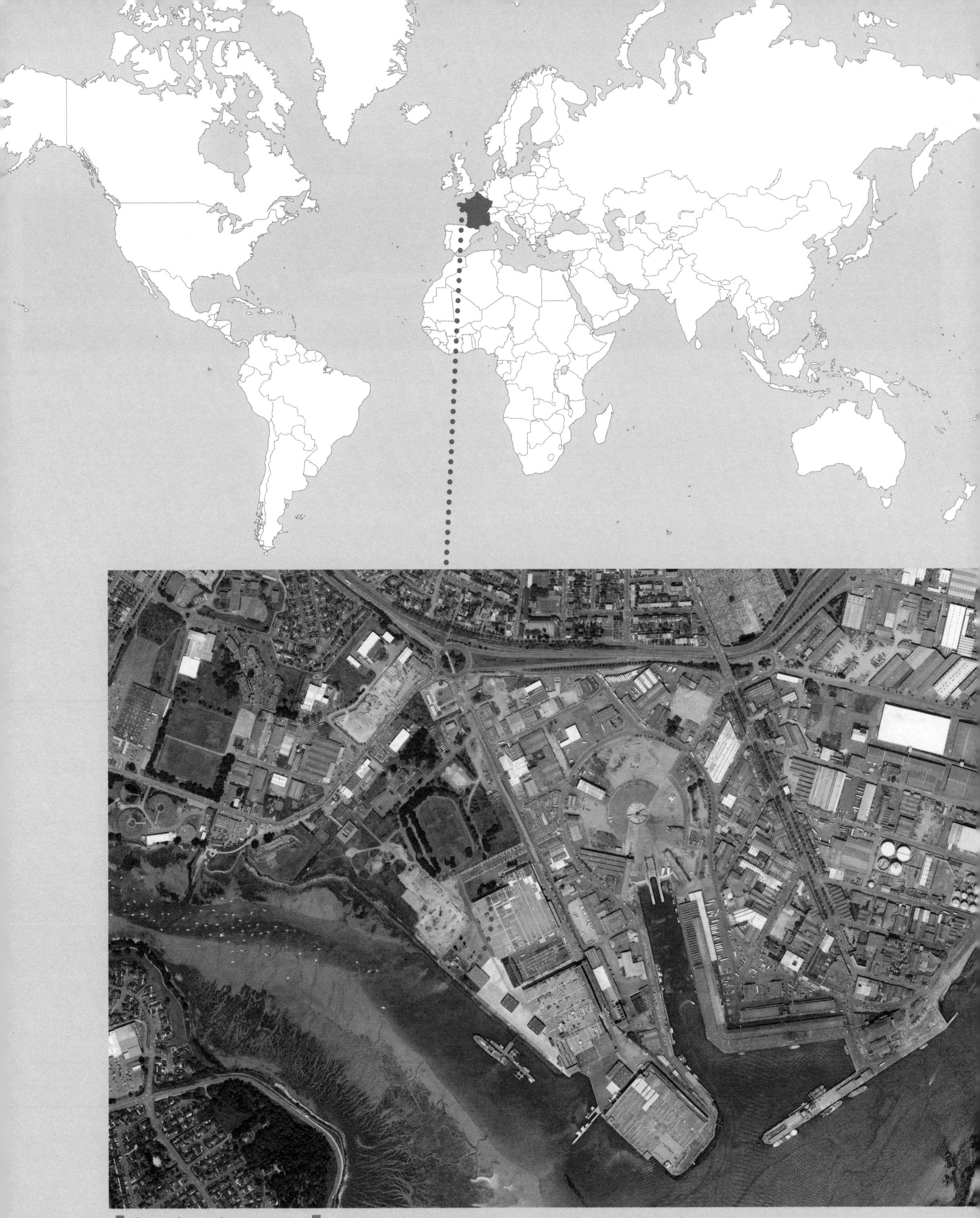

[**Lorient**, France] **47,45° N / 03,23° O / base des sous-marins de Keroman**
Keroman submarine base

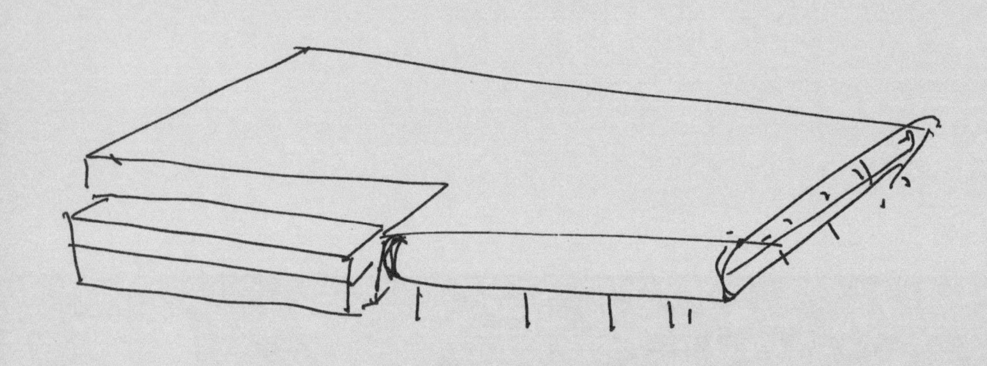

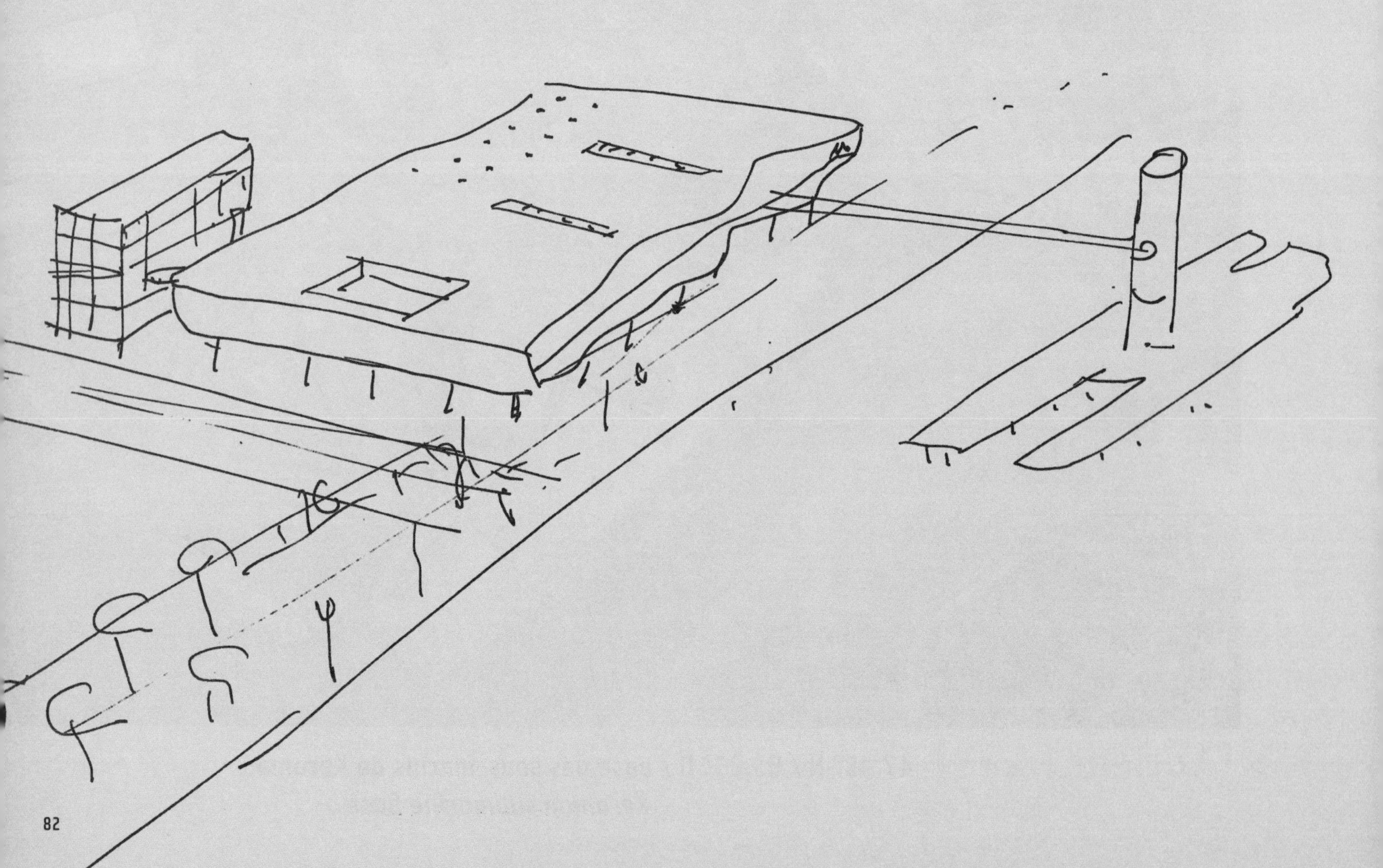

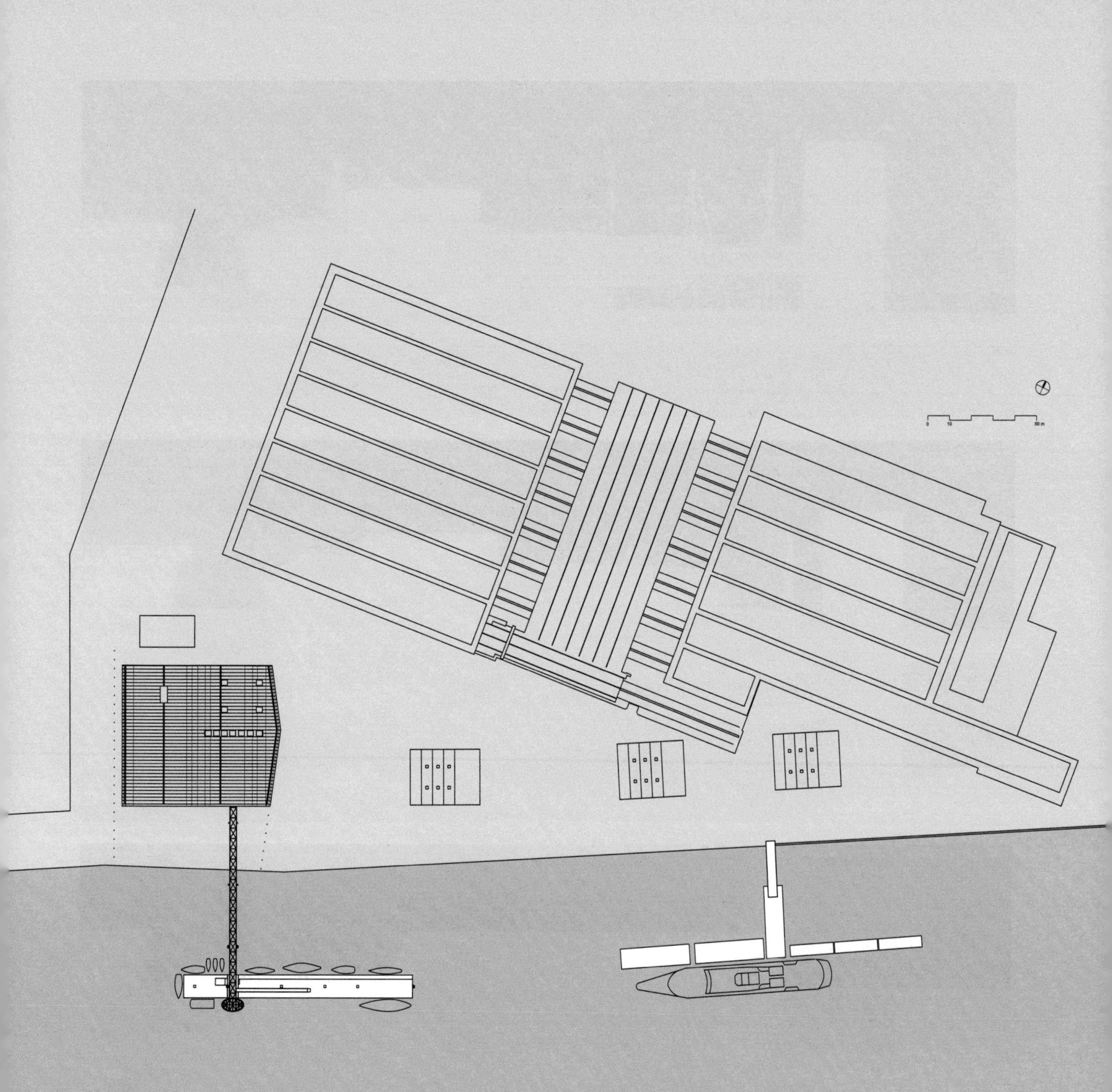

Plan de situation / *Site plan*

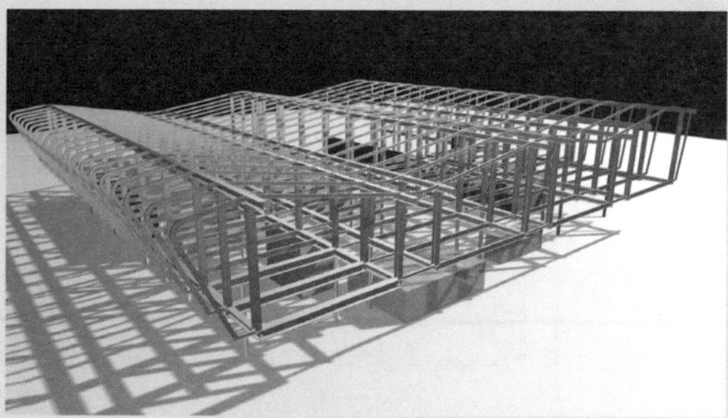

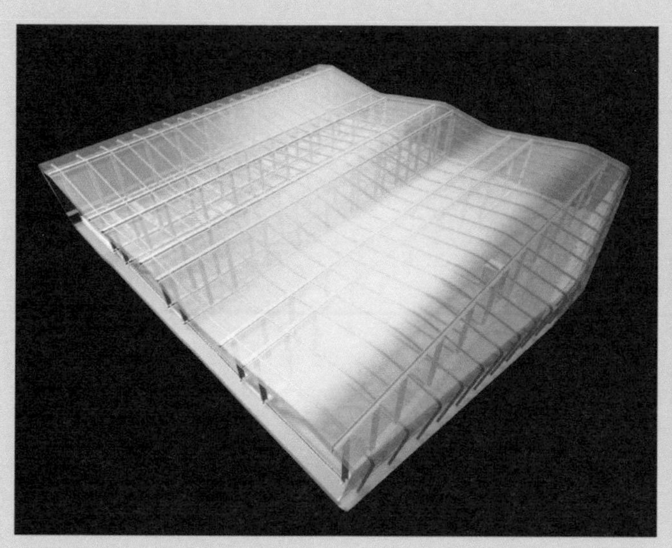

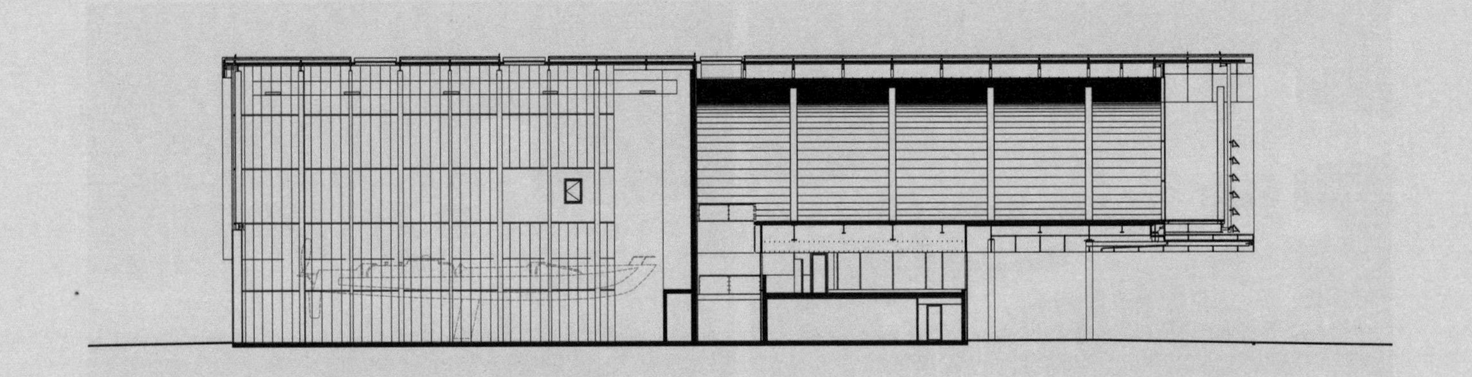

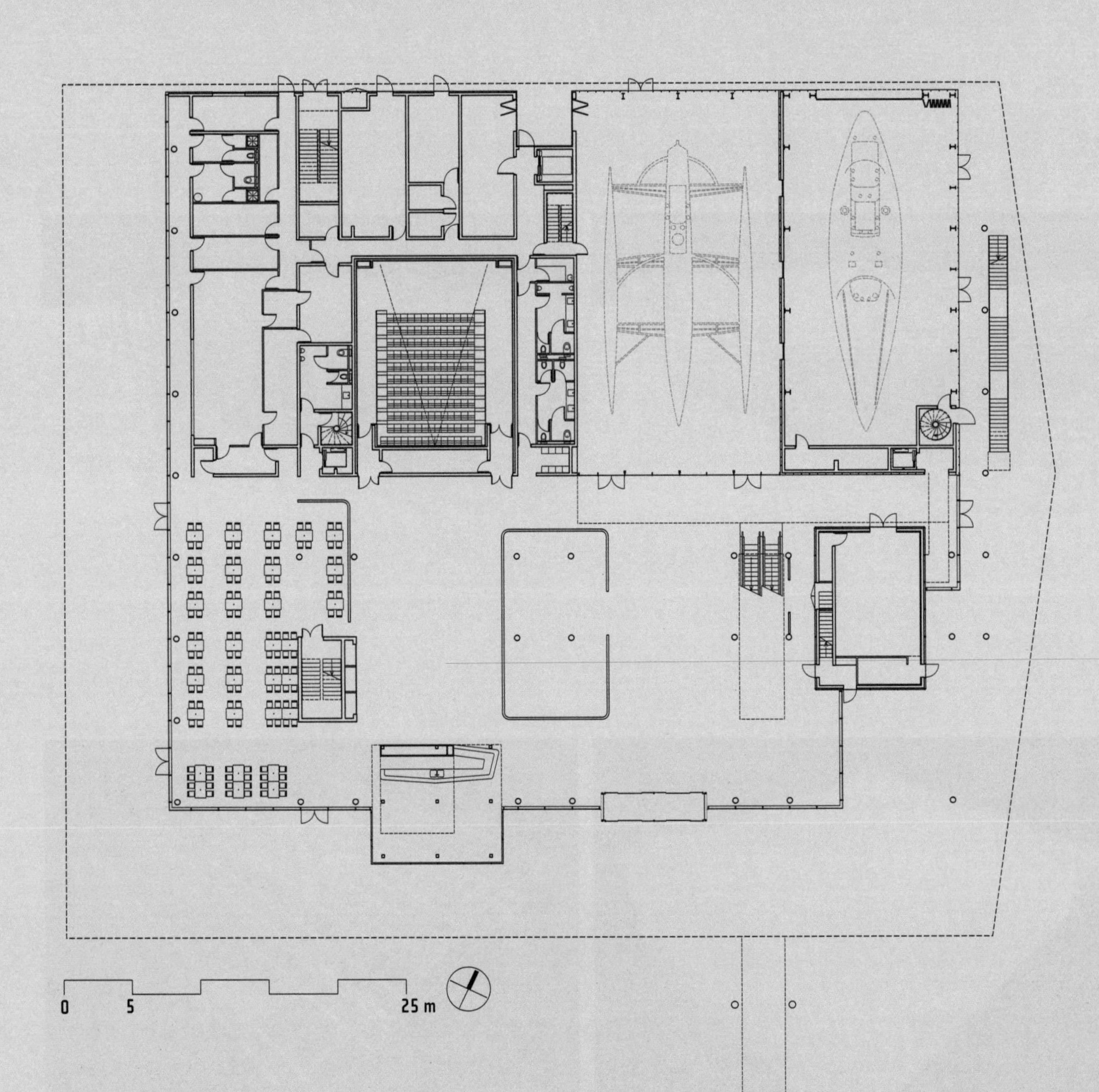

 Plan du RDC / *Ground floor plan*

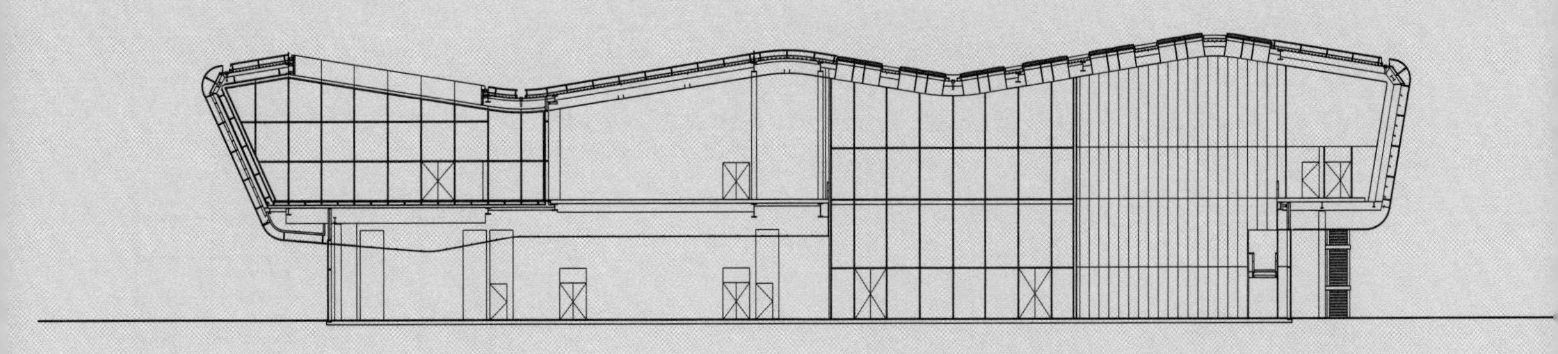

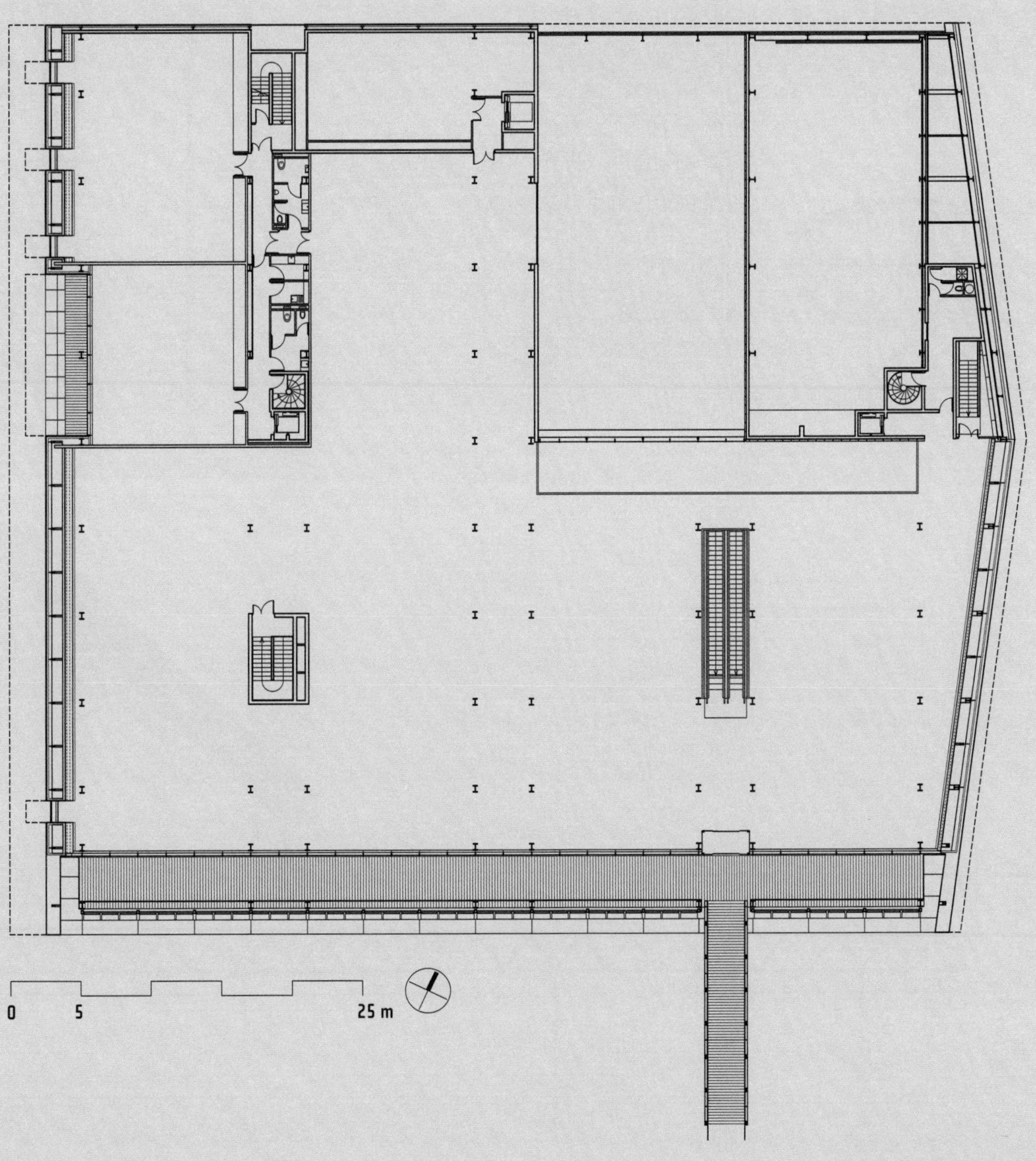

Plan de l'étage / *First floor plan*

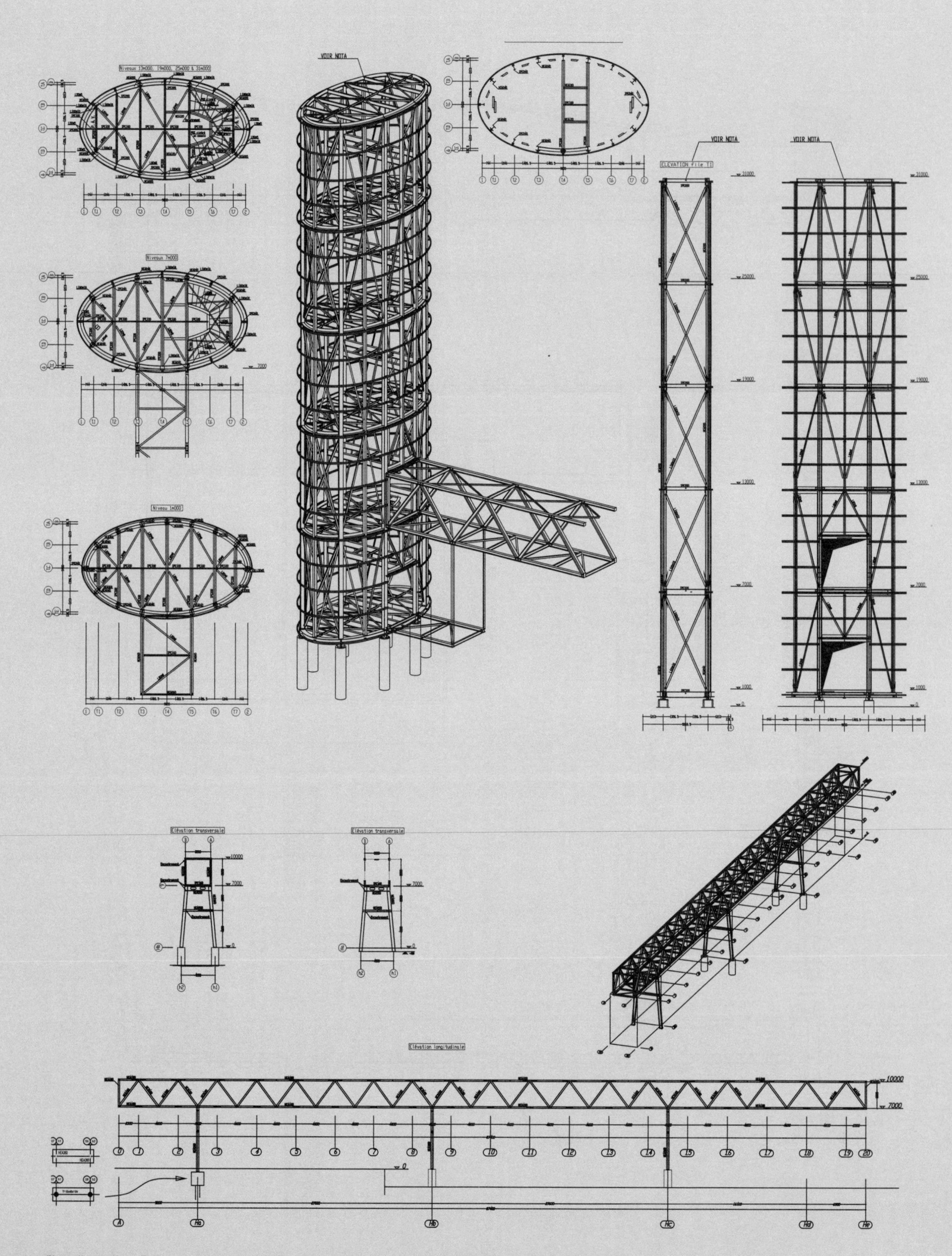

 Plans d'exécution - Tour des vents, passerelle / *Working drawings - Tour des vents, footbridge*

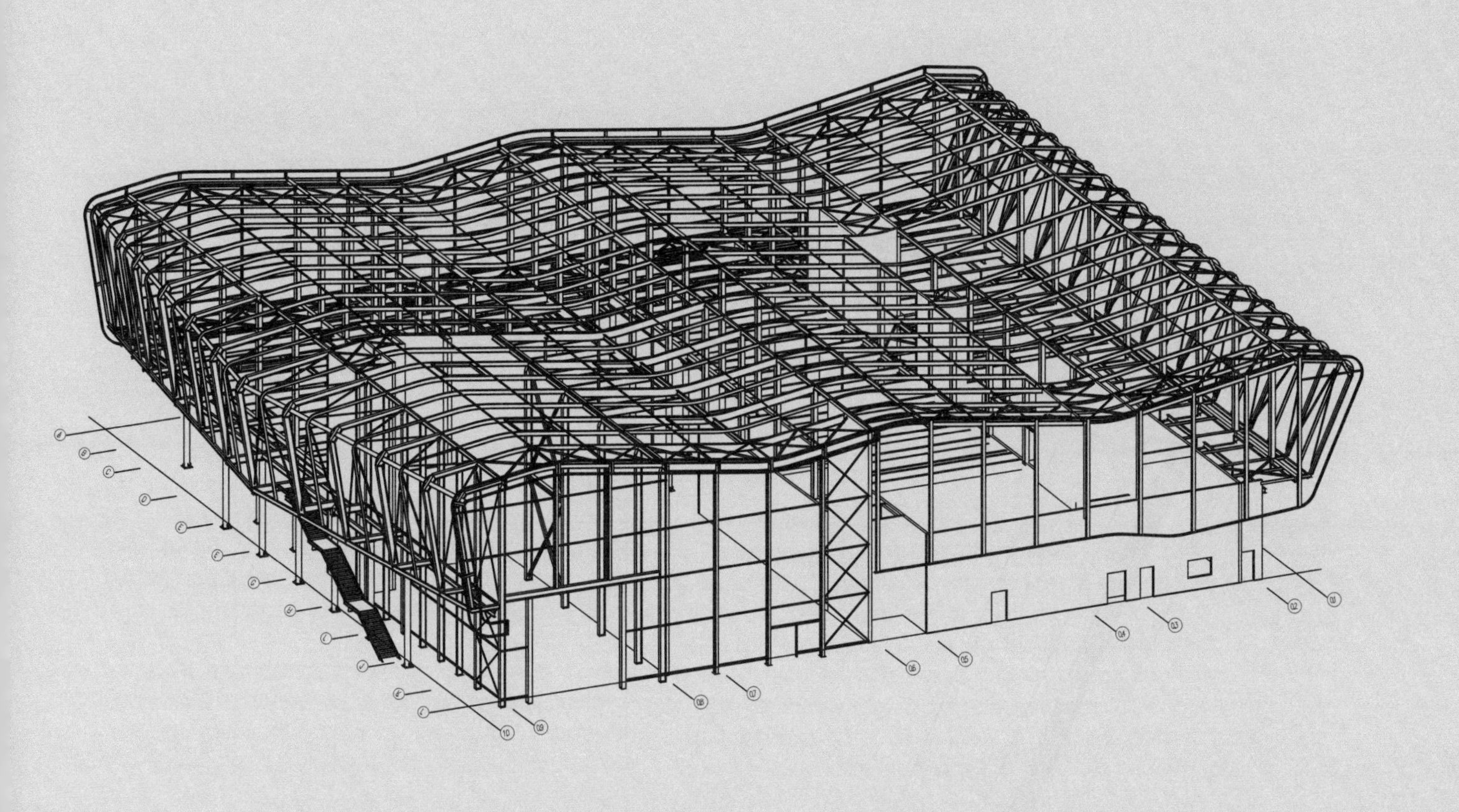

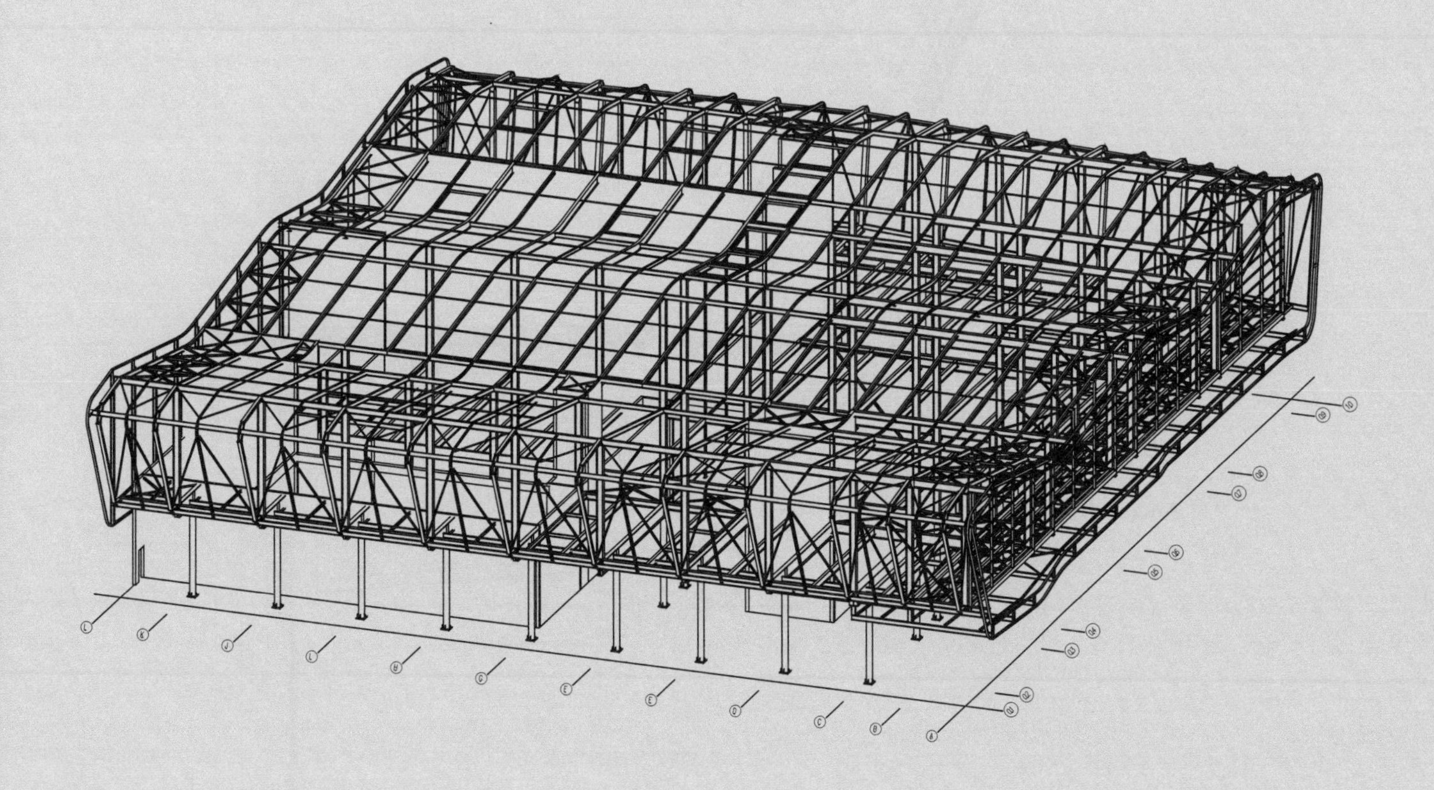

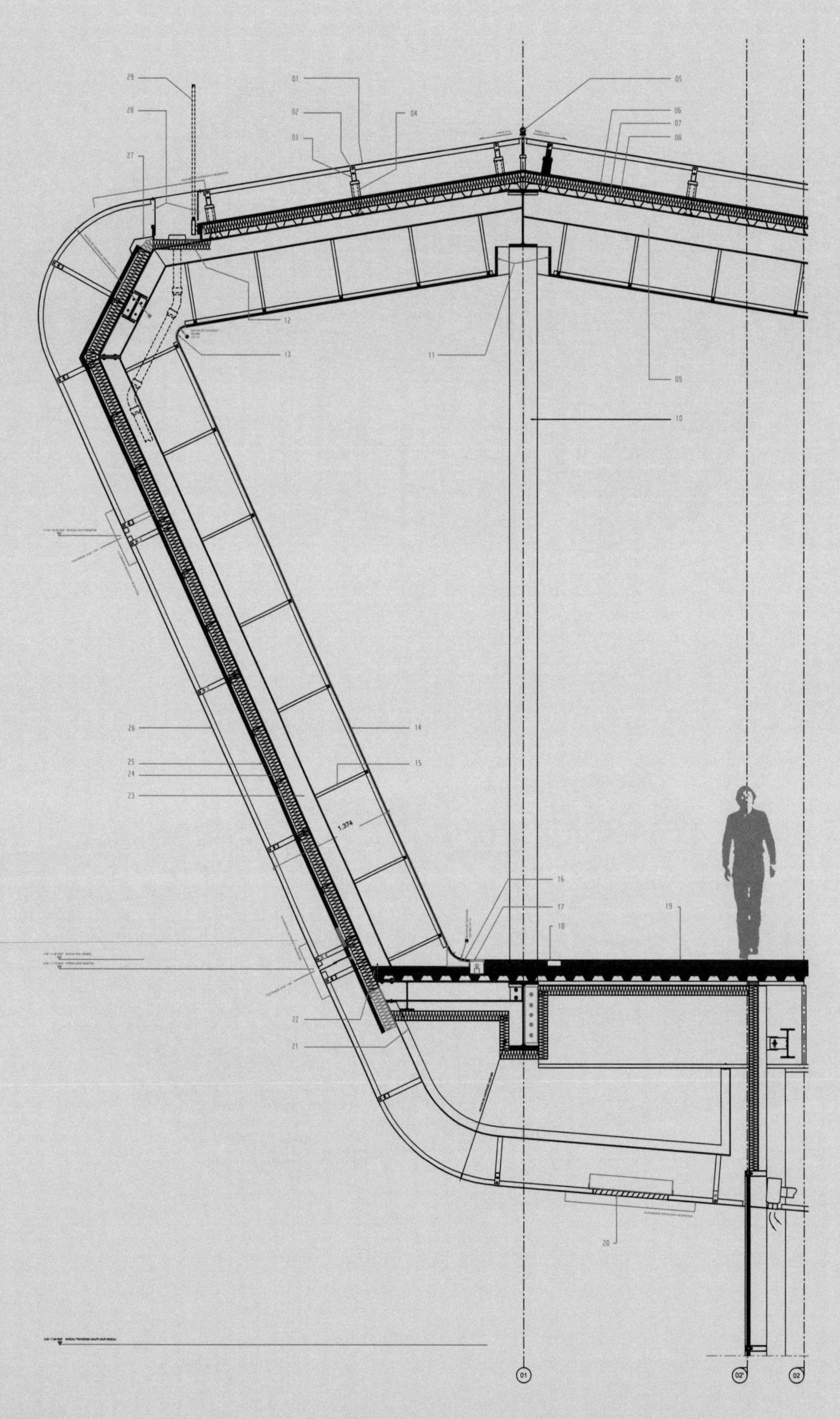
29
28
27
01
02
03
04
05
06
07
08
09
10
11
12
13
14
15
16
17
18
19
20
21
22
23
24
25
26
1.374
01
02'
02

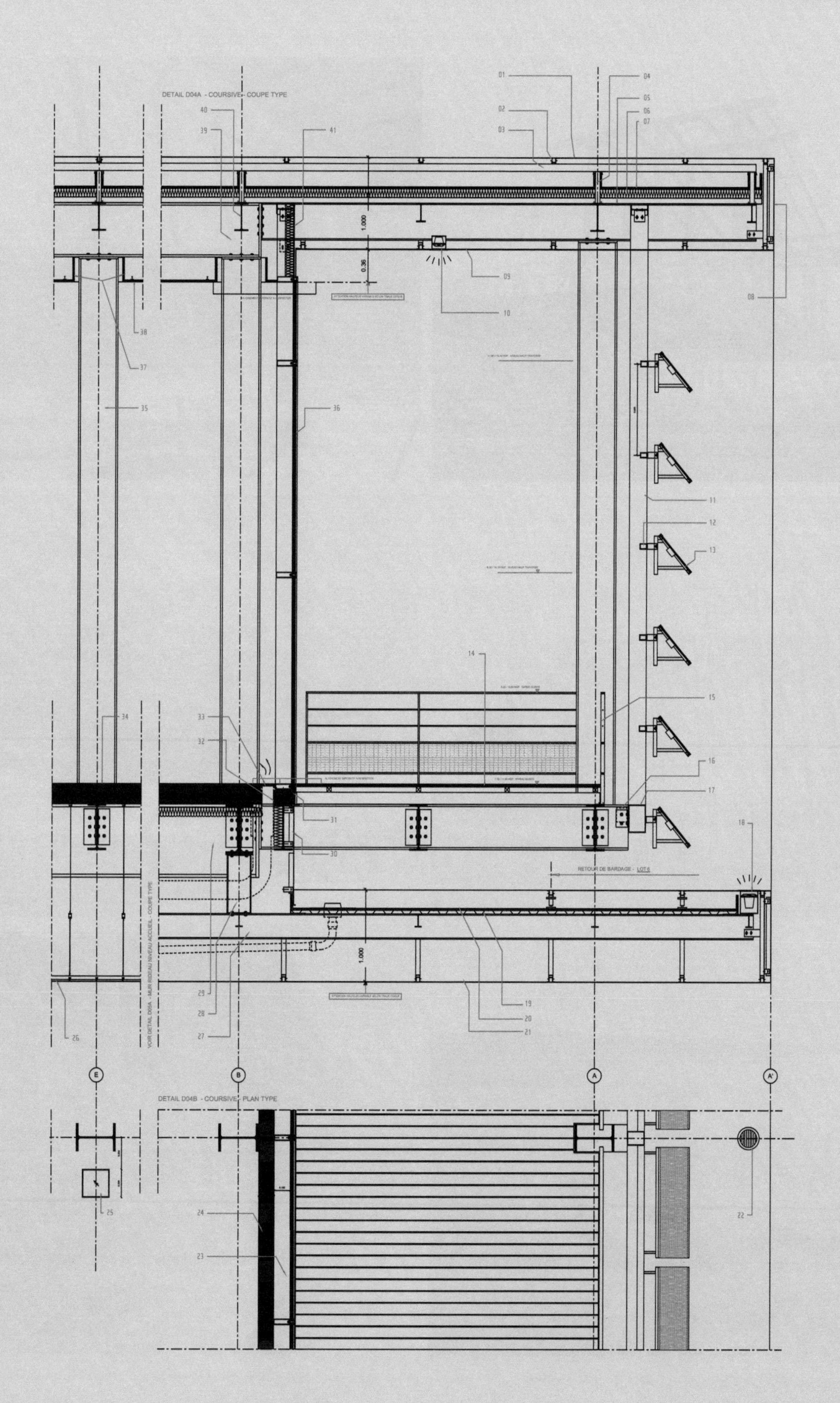
DETAIL D04A - COURSIVE - COUPE TYPE
RETOUR DE BARDAGE - LOT 6
DETAIL D04B - COURSIVE - PLAN TYPE
VOIR DETAIL D05A - MUR RIDEAU NIVEAU ACCUEIL - COUPE TYPE

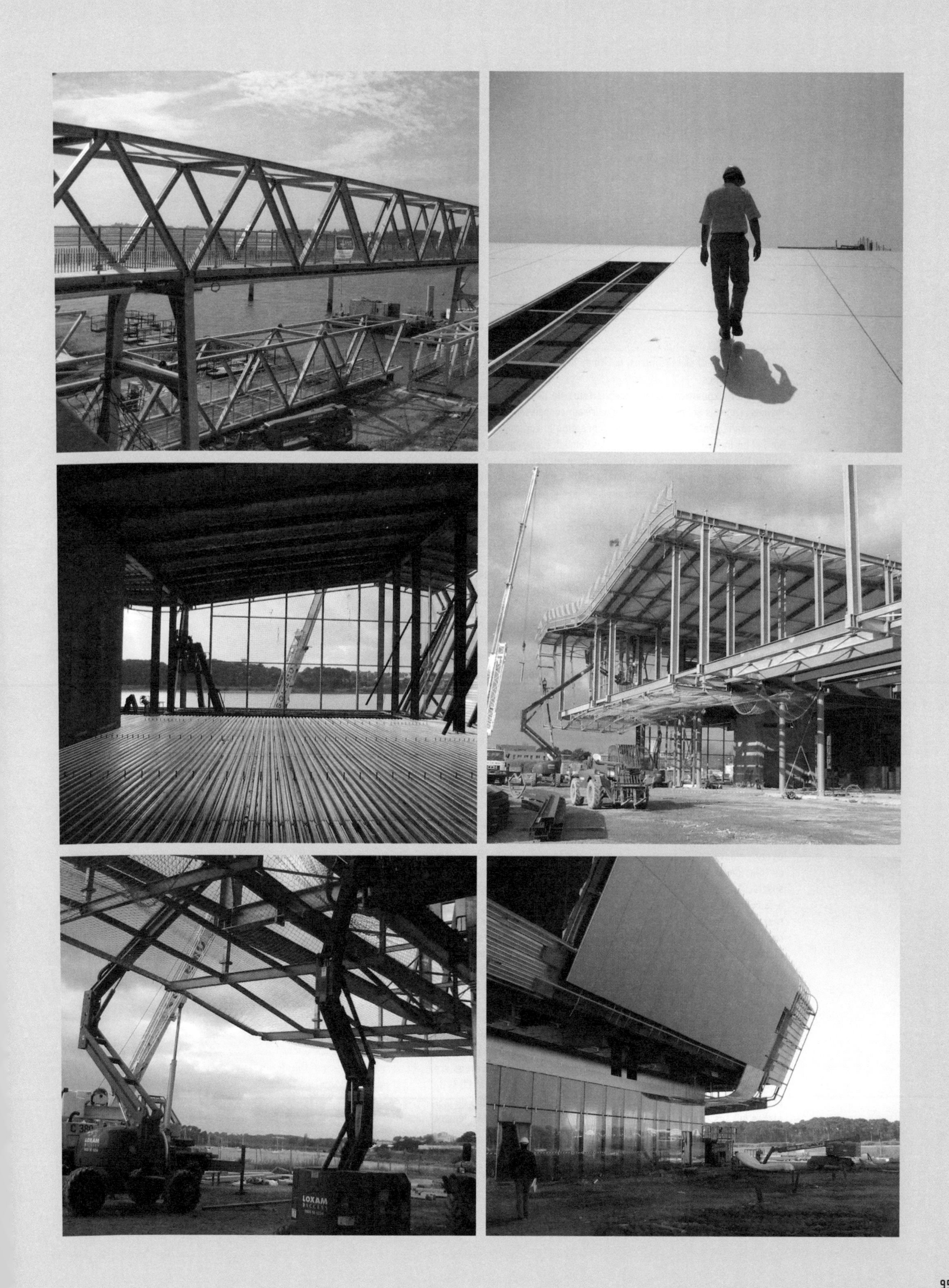
LOXAM
LOXAM

Ouverture au public : avril 2008
/ Inauguration: *April 2008*

Programme :
Lieu d'échanges et de rencontres, la Cité de la voile Éric Tabarly s'adresse à tous les publics.
Une grande exposition permet aux visiteurs de découvrir trois grands thèmes : l'homme et l'océan (de l'imaginaire aux connaissances scientifiques et environnementales), les voiliers (conception et construction, la vie à bord et les innovations avec la famille des Pen Duick) ainsi que la navigation à voile (les grands principes, la course au large et les grands navigateurs).
L'expérience maritime d'Éric Tabarly sert de fil rouge tout au long du parcours.
Par ailleurs, une exposition temporaire se renouvelle régulièrement.
La Cité de la voile Éric Tabarly, lieu vivant résolument tourné vers l'avenir et la recherche, est également un centre de ressources multimédia et d'actualités, un lieu de colloques et de conférences pour les professionnels de la mer.
À l'extérieur, la Cité de la voile Éric Tabarly est le port d'attache des Pen Duick. Les pontons accueillent au fil de l'année les escales des cinq bateaux emblématiques et d'autres voiliers remarquables.
D'avril à septembre, une base d'embarquement immédiat propose à chacun de s'initier concrètement à la navigation sur un vrai voilier en toute sécurité. Sur le bassin de navigation qu'offre la rade de Lorient, les visiteurs pourront tenir la barre et effectuer rapidement quelques manœuvres.

Description architecturale :
Symbole du renouveau de la base des sous-marins de Lorient, la Cité de la voile Éric Tabarly prend place au cœur de l'ancien enclos militaire, redonné à la ville depuis une dizaine d'années.
En opposition à la lourdeur tellurique des masses de béton des trois *bunkers*, une nef en métal brillant paraît en suspension au-dessus du quai. Flottant au-dessus d'un rez-de-chaussée transparent, ce vaisseau étincelant s'amarre à la « Tour des vents », signal vertical posé sur un bras de mer, autour duquel s'ancrent les pontons.
La nef, recouverte de panneaux en aluminium irisés qui changent de couleur en fonction du temps, s'avance au-dessus du quai pour former un auvent spectaculaire face à la mer. La façade vitrée, ombrée et abritée par le porte-à-faux donne à voir, de jour comme de nuit, l'animation du hall, du bar, du restaurant et de toutes les autres activités d'accueil qui prennent place au rez-de-chaussée. Le premier étage est un vaste plateau ouvert sur la mer où les espaces d'exposition dédiés à la voile, au nautisme, à la mer et à la course au large s'organisent. De la façade sud part une longue passerelle qui relie le niveau d'exposition au belvédère de la Tour des vents et aux pontons.
Le bâtiment de la Cité de la voile Éric Tabarly a été conçu dans un souci de développement durable. Ainsi la nef est réalisée comme une coque multicouche qui minimise les dépenses liées aux consommations d'énergie. Façade sud, plus de 150 m² de panneaux photovoltaïques mis en œuvre comme des brise-soleil limitent l'apport de lumière et produisent 20 % de la consommation électrique du bâtiment. Enfin, une pompe à eau de mer placée sur les pontons assure une source de température relativement stable tout au long de l'année.

Programme:
An exchange and meeting point, the Cité de la Voile Éric Tabarly is aimed at all types of visitors.
A large exhibition allows visitors to discover three major themes: man and the ocean (from the imaginary to scientific and environmental knowledge), sailing boats (design and construction, life on board, and innovations developed with the Pen Duick family), and sailing navigation (basic principles, offshore races, and the legendary skippers). Éric Tabarly's seagoing experience provides the unifying thread throughout the circuit. There is also a regularly changed temporary exhibition.
The Cité de la Voile Éric Tabarly is a dynamic environment firmly turned towards the future and research. It is also a multimedia resources and current events centre, a setting for seminars and conferences addressing those involved with the sea.
Outside the building itself, the Cité de la Voile Éric Tabarly is the Pen Duick home port. Throughout the year, the pontoons are used to moor these five emblematic boats and other remarkable sailboats when they are not at sea.
From April to September, an immediate embarkation point allows visitors to experience the hands-on navigation of a real sailboat in all safety. The navigation basin provided by the Lorient harbour is used to allow visitors to be at the helm and rapidly carry out a few manoeuvres.

Architectural description:
Symbol of the new lease of life given to the Lorient military base, the Cité de la Voile Éric Tabarly will be located in the centre of the former submarine pen area which was returned to the town ten years ago.
In opposition to the telluric weight of the concrete masses represented by the three bunkers, a gleaming metal vessel seems to hang above the quay. Floating above a transparent ground floor, this sparkling vessel is moored to the "Tour des Vents", a vertical signal positioned over an inlet around which the pontoons are anchored.
Covered by iridescent aluminium panels that change colour with the weather, the vessel stretches out over the quay, providing a spectacular canopy facing the sea. The glazed elevation, shaded and sheltered by the cantilevered roof reveals the daytime and nighttime life taking place in the hall, the bar and restaurant as well as all other ground floor reception activities. The first floor is a vast platform overlooking the sea on which the exhibition spaces dedicated to sailing, recreational navigation, the sea and offshore races are organised. A long footbridge departs from the south elevation linking the exhibition level to the Tour des Vents belvedere and the pontoons.
Sustainable development has been fully incorporated into the Cité de la Voile Éric Tabarly building. The vessel is designed as a multilayer shell to reduce energy consumption. On the south elevation, over 150 m² of solar cell panels are installed as sunbreakers to reduce the amount of sunlight entering the building and produce 20% of its energy requirements. Finally, a seawater pump positioned on the pontoons assures a relatively stable heat source throughout the year.

Caractéristiques environnementales
/ *Environmental characteristics*

Jacques FERRIER et CERA Ingénierie ont voulu aborder la démarche HQE dès le début de la conception, comme une recherche de solutions globales, architecturales et techniques, apportant des réponses cohérentes et synthétiques aux multiples exigences. La hiérarchisation des 14 cibles caractérisant la qualité environnementale du bâtiment a privilégié en premier lieu la réduction de la consommation d'énergie primaire non renouvelable. Le bâtiment a fait l'objet d'une étude énergétique poussée pour choisir la solution de production d'énergie la plus performante en terme d'investissement, de consommation énergétique, de frais d'entretien et de maintenance, mais également en terme d'impact environnemental (rejets atmosphériques). La dépense énergétique est optimisée par le choix d'une enveloppe performante, d'une production énergétique de haut rendement et la récupération généralisée d'énergie sur la ventilation.

Performance énergétique de l'enveloppe
La coque du bâtiment enveloppant le plancher du premier étage, dotée de coefficients de transmission thermique performants, permet de réduire fortement l'impact des ponts thermiques.
La façade principale donnant sur le Ter, orientée sud-ouest, maîtrise les apports solaires : avancée du premier niveau, formant casquette, effet de masque des brise-soleil constitués de panneaux photovoltaïques.

Production d'énergie thermique et frigorifique présentant un rendement élevé
La solution de production énergétique retenue fait appel à une chaudière gaz à condensation et à un groupe à absorption gaz avec refroidissement sur eau de mer. La température relativement stable de l'eau de mer permet d'obtenir sur les installations de production d'énergie des coefficients de performance élevés. Des pompes à variation de vitesse ajustées à la demande participent à la réduction des consommations énergétiques lors des faibles demandes.
Le principe adopté est celui d'un plancher chauffant-rafraîchissant, solution optimale tant en termes de consommation que de confort des utilisateurs du bâtiment.

Limitation des pertes thermiques des réseaux
L'utilisation systématique des régimes de température bas dans les réseaux de distribution, associés à une proximité des installations de production et d'émission limitent les pertes thermiques.

Récupération des calories contenues dans l'air extrait du bâtiment
Les centrales de traitement d'air fonctionnant en tout air neuf, prévues avec un récupérateur d'énergie à échangeur relatif permettent de récupérer jusqu'à 80% des calories contenues dans l'air extrait. Cette récupération permet de limiter, voire de supprimer en mi-saison l'utilisation de la batterie chaude.

« Free cooling » par l'air extérieur
La centrale tout air neuf de l'auditorium, les registres motorisés sur l'amenée d'air neuf des centrales des salles d'exposition permettent, dans des conditions climatiques favorables (température extérieure inférieure à la consigne et humidité limitée), de diminuer voire de supprimer la consommation frigorifique du bâtiment.

« Free cooling » par l'eau de mer
La température relativement basse de l'eau de mer permet d'assurer gratuitement en été ou mi-saison, le rafraîchissement des zones au rez-de-chaussée et à l'étage par l'intermédiaire du plancher réversible.

Une régulation performante
Ajuste les conditions de traitement thermique des différentes zones suivant leurs besoins.

Les énergies renouvelables
Le soleil : 150 m² de capteurs solaires photovoltaïques intégrés à l'architecture, formant brise-soleil sur la façade sud-ouest, assurent une production électrique équivalente à 20% de la consommation du bâtiment (hors équipements scénographiques).
Le vent : deux éoliennes implantées au sommet de la Tour des vents couvrent la consommation de la mise en lumière de la tour.

Jacques Ferrier and CERA Ingénierie wanted to incorporate the HEQ approach from the outset of the design process. Their aim was to seek global architectural and technical solutions able to provide coherent, synthetic answers to meet the needs of the large number of imposed requirements. Creating a hierarchy covering the 14 targets characterising the building's environmental quality began by placing emphasis on reducing the consumption of non-renewable primary energy. The building was subject to a detailed energy audit to choose the production method providing the highest performances in terms of investment, energy consumption and cleaning and maintenance expenses, as well as in terms of environmental impact (atmospheric emissions). Energy expenditure is optimised through the use of a high performance envelope, efficient production systems and generalised energy recuperation through the ventilation system.

Energy performance of the envelope
As well as having high performance thermal transmission coefficients, the building shell containing the first floor level also considerably reduces the impact of thermal bridges.
The main elevation giving onto the Ter has a south-west orientation and the projecting 1st floor level, covered by solar panels, acts as a sunbreaker.

High yield production of heating and cooling energy
The chosen energy production solution uses a condensing gas furnace and a seawater-cooled gas absorption unit. The relatively stable temperature of the seawater provides the energy production installations with high performance coefficients. Variable speed pumps able to adjust to demand levels participate in reducing energy consumption during low demand periods.
The principle adopted is one of a heated-cooled floor, an optimal solution in terms of consumption and the comfort of those using the building.

Reduced thermal losses through networks
The systematic use of low temperature regimes in the distribution networks, associated with local production and emission installations, reduces thermal losses.

Recuperation of calories contained in the air extracted from the building
The all fresh air handling plants, equipped with a relative exchanger energy recuperator, allows up to 80% of the calories contained in the extracted air to be recuperated. The recuperation limits or removes the need to use the heater battery during the mid-season.

"Free cooling" provided by the outside air
The use of an all fresh air plant for the auditorium and the motorised registers on the fresh air intakes on the air handling plants supplying the exhibition galleries can, when climatic conditions are favourable (external temperature lower than the set point and low humidity), reduce or even remove the building's need for chilled water.

"Free cooling" provided by seawater
The relatively low temperature of the seawater provides free cooling on the ground and first floors during the summer and in mid-season through the use of a reversible floor.

High performance adjustment control
Adjusts the thermal setting conditions of the various areas to meet their specific requirements.

Renewable energies
Sun: 150 m² of solar cells integrated into the architecture, forming a sunbreaker on the south-west elevation and providing an electricity production equal to 20% of the building's consumption (excluding scenographic equipment).
Wind: Two wind turbines positioned on the top of the Tour des vents cover the tower's architectural lighting consumption.

Fiche technique
/ Data sheet

Cité de la voile Éric Tabarly, Lorient

Ville
Lorient, France

Livraison
juin 2007

Maîtrise d'œuvre
Jacques Ferrier architectures,
Architecte - Paris
Directeurs de projet :
Delphine Migeon, Antoine Motte

Maîtrise d'ouvrage
Cap l'Orient
Communauté d'agglomération
du pays de Lorient

Programmation musée
Cité des sciences et de l'industrie
Scénographie
Pierre Verger
Exploitant
Sellor

Co-traitants
Coloriste :
Frédérique Thomas
BET technique / Chantier :
AIA – CERA
BET acoustique :
ACV
Consultant architecte naval :
Olivier Petit
OPC :
Ouest coordination
Contrôle technique :
Cete Apave de l'Ouest
et Kermorvant Consultant

Surface
6 700 m²
dont 2 500 m² de surface d'exposition

Coût
12,7 M euros

Town
Lorient, France

Delivery
June 2007

Architect
Jacques Ferrier architectures,
Architect – Paris
Project managers:
Delphine Migeon, Antoine Motte

Client
Cap l'Orient – Communauté
d'Agglomération du Pays de Lorient

Museum programming
Cité des Sciences et de l'Industrie
Scénography
Pierre Verger
Operator
Sellor

Contractual partners
Colour consultant:
Frédérique Thomas
Technical/Site consulting engineers:
AIA – CERA
Acoustics engineers:
ACV
Naval architecture consultant:
Olivier Petit
Programming, planning & coordination:
Ouest coordination
Technical inspection:
Cete Apave de l'Ouest
and ***Kermorvant Consultant***

Surface area
6,700 m²,
of which 2,500 m² of exhibition space

Cost
€12.7 million

Entreprises

Terrassements VRD :
EGTP
Fondations spéciales :
Soletanche
Gros œuvre :
Sogea Bretagne BTP
Charpente métallique :
Ateliers David
Étanchéité couverture / bardage:
Axima
Menuiserie extérieure - vitrerie :
Girard Hervouet
Métallerie :
Bahuon
CVC - Programmes et principes
traitement climatique :
Axima
Électricité :
Snere
Menuiserie intérieure bois :
Plassart Menuiserie
Doublage - Cloisons sèches ; plafonds :
Vigot
Revêtement de sols scellés :
Andreatta
Peinture - Revêtements muraux :
Golfe Peinture
Plafonds suspendus :
Sud Bretagne Plafonds
Appareils élévateurs :
Kone Ascenseurs
Panneaux photovoltaïques :
Tenesol-Librelec
Sols collés :
Picot
Pontons :
Atlantic Marine

Contractors

Earthworks, external works:
EGTP
Special foundations:
Soletanche
Structural works:
Sogea Bretagne BTP
Structural steelwork:
Ateliers David
Roof waterproofing/cladding:
Axima
External doors and windows – glazing:
Girard Hervouet
Metalwork:
Bahuon
HVAC – climatic treatment programmes
and principles:
Axima
Electricity:
Snere
Internal timber joinery:
Plassart Menuiserie
Linings – Dry partitions - Ceilings:
Vigot
Bedded floor finishes:
Andreatta
Painting – Wall finishes:
Golfe Peinture
False ceilings:
Sud Bretagne Plafonds
Lifts:
Kone Ascenseurs
Solar panels:
Tenesol-Librelec
Glued floors:
Picot
Pontoons:
Atlantic Marine

Biographie
/ Biography

Jacques Ferrier vit et travaille à Paris. Architecte DPLG, diplômé de l'UPA 8 en architecture en 1985 et de l'École centrale de Paris en 1981, il crée en 1990 son agence d'architecture à Paris.
Ses réalisations comprennent des équipements publics, des bâtiments culturels, des bureaux, des bâtiments universitaires, des centres de recherche, des musées, etc.
Jacques Ferrier s'attache également à la recherche, comme en témoignent notamment les projets Concept Office, mené en 2004 avec EDF, et Hypergreen, mené en 2005 avec Lafarge.
Jacques Ferrier a reçu différents prix et nominations, notamment le prix de la Première œuvre du Moniteur, quatre nominations pour le prix de l'Équerre d'argent et deux nominations pour le Grand Prix national d'Architecture. Depuis 1996, il est professeur à l'École d'architecture de Bretagne.
Jacques Ferrier est membre du conseil d'administration de la fondation Bâtiment Énergie, créée en 2005 pour promouvoir les projets européens de recherche en développement durable.
Il est l'auteur de plusieurs livres et articles sur l'architecture.
Dernières publications : *Making of, Phare & Hypergreen* towers (Éditions AAM / Ante Prima, Paris, 2007), *Concept Office, Architecture prototype* (Éditions AAM /Ante Prima, Paris, 2005) et la monographie *Utiles, La poésie des choses utiles* (Birkhäuser / Ante Prima, Paris, 2004).

Jacques Ferrier lives and works in Paris. He is a state-certified DPLG architect having graduated from UPA 8 in 1985 and the Ecole Centrale de Paris in 1981. He created his own architectural practice in Paris in 1990.
His works include public facilities, cultural buildings, offices, university buildings, research centres and museums, etc. Jacques Ferrier is also closely involved in research, as can be seen through the Concept Office project developed in 2004 with the French electricity board and the Hypergreen skyscraper project in 2005 with Lafarge.
Jacques Ferrier has received numerous awards and nominations, notably the Moniteur first building prize, four nominations for the Équerre d'Argent and two nominations for the French Grand Prix National d'Architecture. Since 1996, he has been teaching design projects at the École d'Architecture de Bretagne (EAB).
Jacques Ferrier is currently member of the Administration Council of the Building Energy Foundation, created in 2005 to promote European sustainable development research projects.
He has written a number of books and articles: Making Of, Phare & Hypergreen towers *(AAM Editions / Ante Prima)*, Concept Office, Architecture prototype *(AAM Editions/Ante Prima, Paris, 2005) and the monograph* Useful, the poetry of useful things *(Birkhäuser/Ante Prima, Paris, 2004).*

Sommaire
/ *Content*

Jacques Ferrier et Luciana Ravanel expriment toute leur gratitude à celles et ceux qui ont contribué à la réalisation de cet ouvrage.
Jacques Ferrier and Luciana Ravanel are grateful to all those who have contributed to the creation of this book.

Ce livre a été réalisé avec le soutien de :
This book was prepared with the support of:
Cap l'Orient, Communauté d'agglomération du pays de Lorient
Ateliers David
Cera Nantes
Erco Lumières
Sogea Bretagne BTP

Conception et production / *Production*
Ante Prima Consultants, Paris
Direction de l'ouvrage / *Producer*
Luciana Ravanel
Coordination et suivi éditorial / *Coordination and editorial work*
Chloé Lamotte

Conception et design graphique / *Graphic design*
Franck Tallon
Assistante / *Assistant*
Emmanuelle March

Auteur / *Author*
Paul Ardenne

Traducteur / *Translator*
Nick Hargreaves

Crédits photographiques / *Photo credits*
Luc Boegly
p. 4-5, 10-11, 16-17, 18-19, 20-21, 22, 24-25, 26, 27, 28-29, 30-31, 32, 49, 50-51, 52-53, 54-55, 56-57, 58-59, 60-61, 62-63, 64, 65 bas, 66-67, 70, 71, 72, 73, 74-75, 76, 77, 78-79.
Delphine Migeon
p. 94-95
Jean-Marie Monthiers
Couverture, p. 2-3, 6-7, 8-9, 12, 13, 14-15, 23, 65 haut, 68-69, 80.
Antoine Motte
p. 82-83, 94-95.

Éditions / *Publisher*
Archives d'Architecture Moderne
Rue de l'Ermitage 55
1050 Bruxelles (BE)

Impression / *Printing*
Ingoprint, Barcelona, Spain

ISBN : 978-2-87143-188-6
Dépôt légal : D/2007/1802/12